傷心困頓時，還好繪本接住了我

李貞慧——著

寫給為人生焦慮困惑的你，撫慰心靈的30堂繪本課

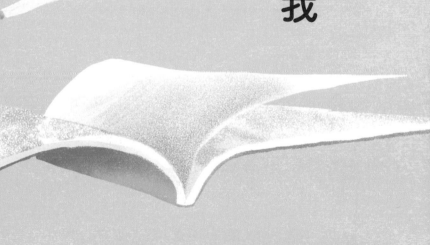

目錄

推薦語

貞慧老師特選「兩意三心」的繪本：有著「美麗意境」、「正面意涵」的圖畫書，配合貞慧老師的介紹文字分享，若能「用心體會」，學會「真心感謝」，就能「開心生活」。

董欣佳
美國 Benchmark 教育集團資深顧問

繼貞慧老師《不要小看我！：33 本給大人的療癒暖心英文繪本》，醉心著迷於繪本的貞慧老師最新力作，總是引領讀者看見繪本所傳遞的溫暖、愛與勇氣，繪本裡的生命力也隨著〈貞慧說說話〉在作者與讀者之間溫暖流動著。是一種生活智慧的分享，更透過英文繪本打開看見世界之窗。

沈秀茹
斗六繪本館館長

藉由貞慧溫暖的筆觸，讓繪本輕巧的走進我們心中，幻化為對生命、對教養、對自己的觸動與反思，開啟更廣闊的閱讀視野。

黃淑貞
小兔子書坊店主

永遠都在期待貞慧的新書，繪本教會我們的不只是知識，更多的是愛與關懷，生命與人際關係的奧義。

宋怡慧
作家／新北市丹鳳高中圖書館主任

日本繪本之父松居直說繪本適讀年齡是 0 到 99 歲，此言不假，大人總鼓勵孩子讀繪本，也為孩子讀繪本，大人也應該讀繪本，在生命歷經更多千錘百鍊的成熟後為自己而讀。為何成熟大人需要讀繪本呢？因為尋覓，尋覓失去已久的童心；因為思索，思索身心靈安頓的溫暖與感動；因為感受，感受生命中一切的美好。

怎麼讀？讀什麼？閱讀不孤單，本書就是邀請，就是導覽，跟著書中細膩誠懇的文字包裝精闢獨到的剖析，我們就進入英文繪本的桃花源了。繪本裡主角常是小孩或動物，所以我們跟著《The Boy Who Loved Everyone》的迪米崔再次學習愛的表達方式；為沉重煩悶的生活就要變成憤怒鳥時，翻翻《I Really Want to Shout》找解方讓自己降溫滅火；《The Two Mutch Sisters》則為我們映照出人我舒適距離。

鮮有機會閱讀英文繪本的我，這回搭上貞慧老師領團的英文繪本列車游而歡喜雀躍。我們，大人，來讀英文繪本！

葉惠貞
國立清華大學附設小學資深教師
著有《素養小學堂》、《讀繪本學素養》

當讀者從閱讀中找到了生命經驗的連結，那份特殊感受便會常留心中，是專屬的，也是深遠的。本書像是一本為故事說故事的分享書，除了作者自身對每一本繪本的溫柔解讀，也連結了時事、延伸至電影。繪本是一個故事，也不只是一個故事，它為我們生活所見、所感留下印記與共鳴，在貞慧老師筆下，便能見到閱讀與生活連結的脈絡與點點滴滴。

劉亞菲

臉書粉專「繪本，生活練習」版主

　　貞慧老師以文字詮釋繪本中的故事，讓人徜徉在一個個故事中，並與讀者分享故事中的寓意與帶給她的啟發。透過這本書，認識許多頗具巧思的繪本故事，卻也使人更好奇，這些故事在原繪本中，是如何透過視覺圖像與情節鋪陳，帶出讀者的共鳴與深刻的意涵？

　　這是一本讓人能更了解繪本，並引發對繪本興趣的書。它讓我們看見，看似充滿童趣的簡單小故事，其實能夠幫助我們接近內心真實的情感，讓我們對自己開始更深的認識與探索。

林梵音

起點書房店長

一本有好看故事的勵志書

認識貞慧十年了，從初識時同為部落格格友的惺惺相惜，到看著貞慧成為推動繪本閱讀的知名作家，我最欣賞她始終如一的溫暖，以及將小愛化為大愛的熱情。她把自身對繪本的熱愛融入英文教學現場，接著這份熱血又透過文字著述，傳遞給更多人。她積極開發繪本的價值與能量，利益的對象不只是孩子，也包括陪伴孩子的家長和老師，以及在生活中勞苦憂煩的每一個人。

在這本新書裡，貞慧一樣持續為讀者精選優秀精采的繪本，內容涵蓋各種生命價值，解讀愛、勇氣、自由、平靜、感恩如何強健我們的心靈，也探討各種生活情境需要的能耐與智慧。從個人該如何建立正向價值、自我定位，到如何適當看待情緒、人際之間保持適度距離又能達到共好，貞慧帶讀者進入繪本，再走出繪本，有時延伸到她自身的生命探索，有時觸及社會現狀與時事議題，讓閱讀這本書成為一趟既知性又感性的旅程。

在好看的故事中思索，馳騁於繪本的譬喻與想像的同時，內心也被撫慰與照亮了。這麼有風格又有多元價值的「勵志」書，值得長駐在你的心靈和書架上！

呂文慧
《天下獨立評論》專欄作家

這是一個繪本多寶格！

　　充滿童話與童畫的繪本世界，用最簡單的文字表達最深切的意旨，無論大人或小孩，多數的人都不愛說教，然而藉由繪本的繽紛與留白，卻能展現豐富的生活面向與多元的詮釋觀點。這份繪本多寶格，是貞慧老師送給讀者的大禮，想跟孩子討論哪個議題？不必在茫茫書海中辛苦搜尋，貞慧老師已通通為您打包整理，分門別類，應有盡有。

　　在學校課堂教學時，我常鼓勵孩子使用「KWLH」的閱讀策略：首先由「K」出發，意指「what they KNOW about the subject」，貞慧老師將繪本內容濃縮為一個主題，一語中的；再來是「W」，意思是「what they WANT to learn」，在這個部分，貞慧老師提供給讀者的是言簡意賅的故事介紹，在閱讀故事介紹的過程中，讀者便可以自我提問；第三步是「L」，「L」是讀者對讀完故事之後的整理，也就是「what they LEARN as they read」，在這個步驟中，貞慧老師搭配的是「貞慧說說話」，分享自己對這個故事本身的看法與生活中的聯想及延伸；最後的「H」是我認為整個流程中最重要的階段，「HOW we can learn more」，閱讀過後，有哪個橋段或什麼疑惑在故事中找不到答案？可以從這個作品出發，再開啟另一本繪本的「KWLH」。貞慧老師在許多作品後都貼心附上了延伸閱讀，像是《Miles of Smiles》這個篇章，就是以《Miles of Smiles》為起點，再引領讀者認識《The Smile Shop》、《The Kiss》等相關作品，讀者便得以擁有更寬廣的視野。

從《傷心困頓時，還好繪本接住了我》中可一窺各個繪本作家的生活哲學，這本書可說是一本包羅萬象的繪本微百科。誠摯邀請各位大小朋友一同翻開此書，進入充滿驚喜的繪本多寶格！

蔡思怡
臉書粉專「我的思房筆記」主持人

愛有多種表達方式，故事有多把開啟的鑰匙

這本書猶如引路人，帶領讀者跨過語言藩籬，穿越落英繽紛的繪本世界，看見遠處有光。作者親切的口吻如我友，自述如何在故事中找到愛、自由與恐懼的意義。無論是大小讀者，都能翻書生暖意，日常裡反覆溫習。

張詩亞
創意寫作教育工作者

2017 年我在聯經出版了一本《不要小看我：33 本給大人的療癒暖心英文繪本》，四年了，這本書一直是我多本著作裡自己私心最喜歡的一本。為什麼呢？因為這本書並非一本功能導向的書，不是教學工具書，不是英語學習書，也不是親子教養指南書。而是站在一個重度繪本愛好者的角度，藉由真誠的文字，寫下對繪本的著迷，以及從繪本裡得到的心靈撫慰與滋養，而在書寫這本書的過程中，我也透過一些自我反省與剖析，得到療癒的力量。

　　這本書出版後持續收到讀者朋友溫暖正向的回饋，告訴我他們對這本書的喜愛，甚至有朋友對我說：「謝謝你，這本書一直是我的案頭書，它翻轉了我對繪本原來刻板狹隘的認知，也在你溫暖樸實的文字中，得到安慰與支持。」因為感受到一本書的出版，可以讓美好的訊息傳播開來，讓我再次動筆寫下這本續集，希望透過更多繪本故事的介紹，引領讀者一起思考生命的價值與真諦。

　　我們真的不要小看繪本，繪本絕對不僅僅是幼童的啟蒙讀物，它更是文學與藝術的展現。繪本作家是了不起的魔術師，是說故事的箇中高手，可以把深遠的人生意義，用生動的圖像、簡潔精準的文字傳達給讀者，讀者在讀了一個好看故事的同時，也得著思索生命內涵的機會。

　　本書絕對不只是一本繪本介紹書而已，它更是一本心靈書，我把我對生命的想法都表達在這本書裡了。從字裡行間，讀者應該可以感受到，我對人與人之間情感聯繫的看重。難道不該看重嗎？人無法將自己活成一座孤島，我發現自己感到幸福的時刻，通常都是與人有溫暖誠摯連結的時刻。內向如我，雖不喜熱鬧喧嘩，但還是享受著與人真誠交流和互助的時光。走在人生這條路上，因為有同行旅伴可以共享、相互支

持打氣，沿途的風光更顯珍貴美好。

　　另外，我也透過這本書表達了對餘生的自我期勉，盼望自己永保對世界的好奇與熱情，能夠一直擁有探索未知的熱忱，也能夠時時懷抱希望與勇氣去面對每個明天。我不願我的生命活到只剩下責任與壓力，我不願驅動我向前的是諸多的不安恐懼和生活中不得不承擔的事情。如果我活到生命盡頭，除了恐懼、責任和壓力，再無其他，我想我一定是徹底活錯了！人生如果沒有一點好玩、新鮮、熱情的元素在裡頭，將會是多麼地無趣乏味！生活的確從來不容易，生命總有一波又一波的艱難需要面對，但我們還是可以活得抬頭挺胸、活得很有力量、活得如陽光般黃金燦爛，是不？

　　繪本裡有微光，帶給人溫暖的撫慰，也給予我們不斷向前行的能量，讓我們願意持續相信、持續盼望、持續愛人與被愛。這是繪本送給我的生命大禮，因從繪本裡收穫太多的美好，實在不願獨享這滿山滿谷的寶藏，誠如《少年小樹之歌》所說：「當你遇見美好的事物時，所要做的第一件事就是要把它分享給你四周的人，這樣，美好的事物才能在這個世界上自由自在地散播開來。」我想，這就是我持續寫作、推廣繪本閱讀的原因了！

　　這是貞慧的第十本書，如果大家能從中獲得些許安慰與鼓舞，我會很開心自己又在世界上做了一件美麗的事。謝謝大家願意開啟這本書，進到我的文字世界裡來，合十感謝這美好的因緣與交流。

The Boy Who Loved Everyone

作　者｜Jane Porter
繪　者｜Maisie Paradise Shearring
出版公司｜Walker Books

愛有多種表達方式　親切仁慈力量無窮

The Boy Who Loved Everyone

故事介紹

　　迪米崔是安親班的新生，和全班都不認識。說故事時間，人家都圍在老師身邊。迪米崔頭靠向身旁的男孩利安說「我愛你」，利安不知如何回答，沉默以對。迪米崔也對幾個女孩說「我愛妳們」，女孩們卻是咯咯笑著跑開了。

　　午餐時間，迪米崔對博蒂老師說「我愛妳」，博蒂老師笑著再添卡士達布丁給他。無論迪米崔對誰說「我愛你」，大家的反應不是跑開，就是以笑聲來回應，動植物更是對迪米崔不理不睬。放學時間到了，迪米崔對老師說「我愛你」，老師笑著對他說「明天見」，而不是「我愛你」。上床睡覺前，他對媽媽說「我愛妳」，獲得媽媽回應「我愛你」。

　　隔天早上，迪米崔不想上學，因為他對每個人說「我愛你」，沒有人以同樣的方式回應他，他擔心大家不愛他。媽媽還是帶他出門上學，

途中媽媽向迪米崔解釋，人們會用許多不同的方式來表達他們的感受，當你告訴他們「我愛你」時，他們確實感受到了，媽媽說：「你把愛傳達出去了，而且在新的地方紮根發芽。」

他們看見老人開魚罐頭餵流浪貓，媽媽說，這是老人對流浪貓說「我愛你」的方式。途中他們遇見博蒂老師，博蒂老師用力揮揮手，微笑地向迪米崔打招呼，媽媽對迪米崔說：「博蒂老師用微笑在說『我愛你』呢！」

到了說故事時間，大家擠在迪米崔身邊，老師看到這幅景象，笑著說：「我好愛你們！」

貞慧說說話

　　小男孩迪米崔的經驗，相信我們都經歷過。面對新同學、新同事、新家人或新鄰居時，每個人應對的方式都不一樣，有些人會主動向他人表達善意，有些人則會選擇躲在自己的角落，被動地等待他人來接觸。無論如何，大家無非都希望彼此能以友善和愛來交流互動，建立美好情誼。

　　我們每個人都需要愛與被愛，這是我們活著的意義。故事中的小男孩不吝惜表達心中對周遭人事物的愛與友善，這是值得我們學習的地方。他溫柔地提醒我們，帶著善心與愛意對待日常生活裡遇見的人事物，也提醒我們不要吝嗇用言語和行動實際傳達我們對世界的愛。

　　迪米崔勇於藉由話語表達對他人的愛，卻感受不到大家愛他，於是他的心受傷了，還好媽媽引導他細心去感受體會愛的不同樣貌。每個人表達愛的方式各有不同，有人直接明白表示，有人則是以含蓄的話語和舉動來傳達。處於亞洲社會的我們，不擅於也不習慣把愛掛在嘴邊，但是這個故事提醒我們，用心去觀察並感受他人透過細微行動對我們展現的善意與愛，例如當你在辦公桌忙著手邊的工作時，突然有同事端來一杯咖啡給你，或是幫你遞送文件到別的部門，這不是他們的工作，他們大可不必這麼做。但是他們願意主動這樣做時，就是在向你展現友善與同事之愛。即使是陌生人，當你在捷運裡趕時間爬著電梯時，許多人都自動靠一邊，讓出電梯走道來讓你快速通過，這也是一種來自陌生人的友善與愛的表現。而我們也會在新聞裡看到車禍畫面，許多陌生人用自己的機車圍住傷者，並為傷者撐傘等待救護車前來，這更是一種大愛的

表現。雖然沒有一句「我愛你」，卻是「我愛你」的一種體現，讓人非常感動。

　　故事最後，小朋友們雖沒有把愛說出口，但是都紛紛圍過來迪米崔的身邊，和迪米崔擠在一起聽老師說故事，讓狄米崔感受到大家對他的愛。愛是相互流通的能量，你傳達出去的愛，終究會回到你身上來，只是它可能不是以你原先期待的方式回來，而是以讓你更為驚喜感動的樣貌呈現在你面前。

　　不過故事一開始，小男孩在全然陌生的新環境裡，逢人就說「我愛你」，內心其實是非常盼望大家也能愛他的，這種有所求卻得不到預期回應的愛，自然為自己帶來許多的不快樂，感到挫敗、傷心，甚至產生逃避心理，連學校都不想去了。事實上，當抱持期待對方有所回報地給出愛，愛就變質了。如果我們真心誠意地表達愛與友善，不去在意他人是否等值地回應或回報，那麼自己就不會糾結在「自己不受歡迎、不被愛」的擔心與不快樂當中。在給出愛的同時，這個付出本身就已成就圓滿，索求回報反而是讓自己和他人受苦了。

　　讓我們為了愛而愛吧！讓我們為了讓自己開心而愛吧！

Miles of Smiles

作　　者 | Karen Kaufman
繪　　者 | Luciano Lozano
出版公司 | Sterling Children's Books

微笑擁有強大的正向能量，感染力無遠弗屆

Miles of Smiles

故事介紹

　　小嬰兒因為母親給了的愛與呵護，回報媽咪一個微笑。母親接收到嬰兒的笑容，懷抱著好心情帶大女兒去上學，送一年級的葛拉絲老師一束花，還給她一個溫暖微笑。老師心情大好，發試卷給學生時，她給了考取高分的學生賽巴斯汀一個表示讚美與肯定的笑容。賽巴斯汀把笑容帶到足球隊，愉悅地和隊友打招呼。比賽得分情形不佳，教練感到鬱悶，隊友羅貝托面帶微笑送來西瓜給教練，帶給教練希望。瓦勒麗射門失敗，膝蓋受傷，教練趕忙來到她身邊對她表達關心，並對她報以微笑，讓她不致感到挫敗。

　　瓦勒麗回家和遠方的祖母視訊，她送給祖母燦爛笑容。祖母向窗外收垃圾的吉姆微笑打招呼，吉姆回辦公室，微笑地送咖啡給心情不佳的老闆，讓老闆心情好轉。老闆到餐廳吃晚餐，給服務生艾德滿意的微

One pup who's made his getaway
sees Baby, and he wants to play.

The mommy laughs, then she thinks *maybe* —
Pup gives the smile back to Baby!

笑，艾德後來也面露微笑安慰一位把玩具火車弄壞的小男孩。小男孩到
爺爺家，奔向爺爺的懷裡，給爺爺大大的笑容。

　　爺爺帶著鮮花與甜點到對街，微笑地將他的心意送給鄰居安妮。安
妮把這微笑化為關懷的信件，寄給感冒的姪女珍，珍也感受到阿姨的關
懷，帶著微笑外出慢跑，把笑容傳給小狗。小狗開心地和路過的小嬰兒
一起玩，這個小嬰兒正是故事一開始傳遞出第一個微笑的小嬰兒。媽咪
心想：也許小狗把微笑傳回來給小寶貝了呢！

這個故事讓我看見，微笑強大的正面力量真是不容小覷。一開始微笑的傳遞，是小嬰兒傳給媽媽，媽媽再把微笑傳送出去，形成一個連鎖效應。微笑與愛往外擴散的力量，就如同朝水中丟石子所漾起的一圈圈漣漪般，其正向影響力是我們始料未及的。故事到最後，全社區的人都得到這股美好的能量，整個社區散發著開朗、明亮的氛圍，令人身心無比愉悅舒暢。

情緒具有強大感染力。我們周遭的人，尤其是很親近的家人，每天生活在一起，如果其中一個人有負面情緒，例如生氣、焦慮、煩躁，不管他的情緒是透過言語、行動直接表露出來，抑或看似悶在心裡不說，其實情緒全寫在臉上，身邊的人見狀、感受到了，心情也會跟著產生波動，無法平靜。

也許我們可以好好思索，活在世上，我們想要成為什麼樣的人？是成為傳播溫暖正向能量的微笑小天使？還是動不動就不開心，甚至發怒、口出傷人的話，惹得身旁的人也跟著情緒變差？我們到底想過的是既疼愛自己又利益他人的日子呢，還是要讓自己時常陷在負面情緒裡，同時也讓親近我們的人一同捲入這情緒漩渦之中？

其實人的一生會怎麼過，並非全由外在環境以及我們遭遇的因緣際會所決定，主要還是在於我們用什麼樣的心態來面對生命。在人生旅途上，我們會發現，能帶給我們真正幸福的東西，都不是金錢可以衡量的。很多時候幸福都是免費的，完全無須花費任何一毛錢即可享有。例如，當迎面而來的或陌生或熟識的人，面帶微笑愉悅地與我們打招呼，

那份友善與溫情，便足以讓我們稍稍放下原本鬱悶愁苦的心情。或是當我們掛心、煩憂著某些事，這時候若是有人願意傾聽我們說話、和我們好好交談，讓我們感受到被愛，我們就能從如是的情感支持下長出力量，從原先不怎麼開心的情緒走出來。人與人之間善美的情感連結，始終是我們幸福的泉源，這樣的幸福不需要你掏錢，只要你敞開心胸和他人溫暖交會。

當我們從別人那裡得到微笑，轉化了原有的負面情緒，我們是不是也可以把這份從微笑得來的正能量繼續傳遞出去？不要老是被動地等待別人給我們愛、溫暖和微笑，我們也可以主動當個散播歡樂散播愛的人間大使。就算有時候不開心，不妨試著勉強自己咧嘴微笑，多笑幾次，也許就可以打從心底真正開心起來喲！

我很喜歡這本繪本的畫風，色彩明亮繽紛，人物的勾勒也十分可愛，閱讀這本繪本讓我嘴角上揚，帶給我開朗愉悅的心情！作者果然成功地透過此書，播撒微笑的種子在讀者的心田裡，真好真好！

延伸閱讀

The Smile Shop
作　　　者：喜多村惠（Satoshi Kitamura）
出 版 公 司：Scallywag Press
中文版書名：《微笑商店》，郭庭瑄譯，三采出版

這本繪本是日本繪本創作家喜多村惠（Satoshi Kitamura）的作品。故事敘述一個小男孩第一次要用自己存的零用錢買東西送給自己。途中發生一點意外，讓他手上的銅板只剩一枚！一枚銅板可以買什麼呢？可以買一個微笑嗎？微笑店老闆告訴小男孩：「微笑是只能交換和分享的東西。」（A smile is something you can only exchange and share.）小男孩和老闆交換過微笑後，懷著愉悅開朗的心情走在街上，他感受到彷彿全世界都跟著他一起微笑。

The Kiss
作　　者：Linda Sunderland
繪　　者：Jessica Courtney-Tickle
出版公司：Little Tiger Press Group

親吻與擁抱都和微笑一樣有強大的正向感染力哦！這本繪本描繪親吻和擁抱散播在人間的溫暖美好。

名人語錄

「樂觀主義出自於意志。我們不是因為幸福才笑，而是因為笑了才幸福。」
　　　　　　　——埃米爾‧奧古斯特‧沙爾捷（法國哲學家，1868-1951）

「沒有夢想的人，只要努力做好眼前的事，努力鑽研目前正在做的事。即使沒有夢想也沒有關係，只要努力試著為周遭的人帶來歡笑。」

——喜多川泰，《時光膠囊株式會社》

I Dream of a Journey

作　　者｜Akiko Miyakoshi（宮越曉子）
繪　　者｜Akiko Miyakoshi（宮越曉子）
出版公司｜Kids Can Press

給自己投入未知的勇氣，讓人生不虛此行

I Dream of a Journey

故事介紹

　　故事主人翁在一條幽靜的街道角落經營一家旅館，規模雖小巧卻很溫馨，主人翁每天忙著接待來自世界各地絡繹不絕的旅客。在交誼廳裡，旅館主人聽著客人敘述自己從未去過的地方的故事，而他也和下榻的客人分享，自己居住的城鎮大大小小的事情，大家此起彼落地交流著見聞，這是旅行最常見的風景。

　　夜深了，旅館主人完成一天忙碌的工作，準備上床就寢。閉上雙眼後，他產生一股深切的渴望，他好想到遠方去看看。他夢到自己提著大行李箱，出發去旅行，搭著飛機從這個城市飛到下個城市，隨心所欲地漫遊，沿途拜訪老朋友和曾經來住過他旅館的客人，或許自己會受到他們熱情的招待。而旅途上，每天都會有意想不到的事物發生，他要把這些時光收集起來，將它們珍藏在心裡。然而，他想，如果旅行到越來越遠的地方，他會不會開始想念自己的小旅館呢？

　　黎明來臨，旅館主人醒來，當然他依舊躺在自己的床上，那趟旅行只是夢境。他又開始忙碌的一天，接待即將到訪的新客人。夜裡，他會坐在老舊的椅子上，讀著來自世界各地朋友寄來的書信，這些信件、明信片也會讓他興起想要出發去旅行的念頭，想像自己實際站在這些明信片上呈現的景點。旅館主人從未跨出自己的城鎮，不過，也許真有那麼一天，他會帶著大行李箱，離開他的城鎮、他的國家，展開夢寐以求的旅行。他相信，屆時大家一定會感到十分驚訝。

在飛行器的發明和不斷改良下，旅行變得越來越容易且盛行，世界也因人的頻繁移動交流而成為地球村。儘管如此，仍然有不少人對於與自己所處環境、文化習俗差異甚大的國家或區域有不安感，因而裹足不前，甘於守在自己小小的方寸之地，寧與廣大世界擦身而過，也不願跨出腳步出門看世界，多少有些可惜呢！

這個故事的主人翁，雖對於從未到過的地方，內心有著造訪的渴望，但這份渴望卻遲遲未能化為實際行動，而是出現在夜晚的夢境中。作者在內頁畫面顏色的安排上頗具巧思，真實生活場景以黑白畫面呈現，而出發去旅行的幻想畫面，則以繽紛色彩來展現，可見踏上旅程乃旅館主人心之所向，他對展開旅途、到異地走踏，內心是抱持美好憧憬的。然而故事最後畫面又回到黑白，讓人不禁好奇，旅館主人究竟有沒有鼓起勇氣啟程去旅行？還是終究留在自己熟悉的舒適圈，沒有給自己到未知世界探索的機會？

若凡事瞻前顧後，想東想西顧慮太多，就越不敢跨出第一步，去看見、去經歷自己安全區以外的世界。人生不短，但也沒有我們以為的那麼長，很多事情拖著拖著不去做，這一生一晃眼也就這麼來到了盡頭。

小時候，我是個非常非常害羞的孩子；長大後，我還是很害羞。在人前，我經常是那個默默傾聽的角色，話很少，就算心中有想法，也大多擺在心上，很少說出來。我想這不僅僅只是害羞，還有對自己的信心不甚足夠。剛開始從事教職時，每每要站在台前授課，我都會好緊張，話都講不好。而遇到會議，要在一群人面前發言，我更是能避就避。後

來我大量接觸繪本，著迷於繪本世界的多元精彩，讓我開始有想要站出來與大家分享繪本的強大動能，於是鼓起勇氣跨出腳步，嘗試在公開場合訴説繪本的豐富美好。一開始的幾場分享，我還是緊張到在台上講話結巴、語無倫次。但至少我踏出了第一步，然後沒有放棄地繼續跨出第二步、第三步……一直走到今天的成績。這幾年的繪本分享旅程，讓我克服面對大眾的緊張，也帶我造訪許多地方，拓展我原本十分狹隘的生活圈，也結識不少來自各地的繪本同好。踏出舒適圈的結果，讓我收穫滿滿，心靈無比愉悦富足。

　　如果沒有踏出追尋夢想的第一步，夢想永遠只是停留在腦袋裡的空想，不會有被實現的機會。只要從跨出一小步開始，帶著好奇的眼光，就能看到世界的遼闊與精采。雖然離開舒適圈會有諸多不確定的因素與挑戰，也許會讓人感到不安，但與其選擇日復一日，毫無活水注入的乏味生活模式，何妨每天跨出腳步，為自己的生命增添新的能量、新的學習和新的看見。

　　就算走出舒適圈，投入未知的世界，可能將遇到不怎麼開心的事以及不盡如人意的過程，我們可能會因此受挫、受傷。然而，走向未知去探索，不代表我們無法再回到舒適圈（避風港）呀！心累了，就回來舒適圈休息、安頓一下，然後再懷抱勇氣與好奇，進入未知的領域闖盪。

　　無論你懷有探索世界的旅行夢想，還是有著其他美好的生命盼望，祈願你我都能傾聽內心的鼓聲，朝著鼓聲的方向前進吧！莫等到人生走到了終點站，才悔恨此生沒來得及活好活滿啊。

延伸閱讀

Mole in a Black & White Hole
作　　　者：Tereza Sediva
出 版 公 司：Thames & Hudson
中文版書名：《住在黑白洞穴裡的鼴鼠》，
　　　　　　黃筱茵譯，阿布拉出版

鼴鼠安於地下的黑白世界，不願也不敢探出頭看看地上世界是什麼模樣。直到有一天他唯一的好朋友蘿蔔不見了，他鼓足勇氣探出頭找尋，終於有機會看見舒適圈、同溫層以外繽紛美麗的新世界。

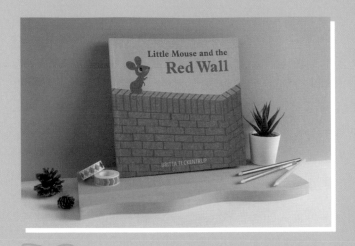

Little Mouse and the Red Wall

作　　者	Britta Teckentrup
出 版 公 司	Orchard Books
中文版書名	《紅牆外面是什麼》，吳嘉儀 譯，文林出版

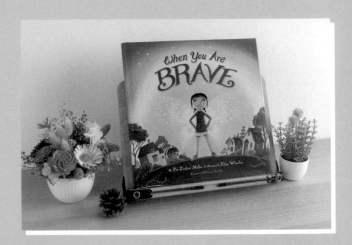

When You Are Brave

作　　者	Pat Zietlow Miller
繪　　者	Eliza Wheeler
出版公司	Little, Brown Books for Young Readers

突破恐懼心牆，擁抱內心自由

Little Mouse and the Red Wall & When You Are Brave

故事介紹

《Little Mouse and the Red Wall》這本繪本描述一群動物住在紅磚砌成的牆裡面，誰都不知道這座牆到底是何時出現的，甚至對牆的存在視若無睹。然而，小鼠卻十分好奇牆的另一邊會是什麼模樣？有動物說，這道牆保護他們的安全，有動物則老到懶得想牆的事，獅子告訴小鼠，牆的另一邊什麼也沒有。動物們勸小鼠別再想牆另一邊的事，接受自己所處的現況就好。有一天，牆的另一邊飛來一隻藍鳥，小鼠央求藍鳥帶他到牆的另一邊去，藍鳥於是帶著小鼠飛越紅牆。在牆的另一邊，小鼠看見色彩繽紛美麗的新天地。藍鳥說，牆內的動物帶著恐懼看待牆外的世界，小鼠則帶著好奇心，才有機會看見牆外的風景。若能敞開心胸，牆會一片一片消失，就會發覺世界真寬闊美好。小鼠等不及要告訴

動物們他的發現。往回飛時，小鼠發現牆消失了！小鼠鼓勵動物們穿越紅牆，一同來到美麗自由的新世界。

　　《When You Are Brave》則敘述一名女孩即將搬家，她坐在車裡想像著即將居住的新環境和面對的新鄰居，心中感到恐懼。她回想以前種種令她害怕不安的經驗，例如第一次下水游泳、第一次上台說話、第一次搭校車上學等等，越想越緊張。作者在此開始藉由故事的推展，給予讀者建議：當你恐懼緊張時，不妨回到內心深處尋找勇氣。閉上眼睛，緩緩地深呼吸，你會看見那勇氣的火花，溫暖而沉穩，給你滿滿的安全感。我們都能為自己創造勇氣，只要我們回歸內心，想著我們所擅長和喜愛的事物，想著愛我們的人，我們會感到整個人綻放光芒，也知道我們已做好準備，迎向未來各種的挑戰與難關。

貞慧說說話

　　《Little Mouse and the Red Wall》與《When You Are Brave》這兩本繪本的主題都與「恐懼」有關，《Little Mouse and the Red Wall》描述我們內心由於對外在未知世界有著莫名的恐懼，於是自我設限，築下一道無形的心牆，隔絕我們向外探索的可能。故事到最後，小鼠帶著好奇心，跟著藍鳥穿越那道牆，看到無比美妙的天地。往回飛時，小鼠發現原本的那面紅牆不見了，藍鳥很有智慧地說，其實牆本來就不存在，是我們對未知的恐懼，或長輩告訴我們，這個不能做、那個有禁忌，我們從不質疑為什麼便照著做，於是才會出現那道侷限自己的心牆。

　　小鼠好奇心強，勇於突破；其他動物墨守成規，有的動物自認年紀大，懶得改變。其實，年老不是指實際的年紀，而是心態。如果年紀輕輕，便對許多事情麻木，不再感動落淚或開懷大笑，這樣的心理狀態便是「老」。反之，若你雖然年長，但對世界持續保有充沛的好奇心與探究的熱情，且對人生依舊有著豐富的感受力與感動力，那麼你的心理狀態還是很年輕的。

　　當我們想越多，對未知就越恐懼，不斷地想牆的另一邊到底是什麼？有沒有令人害怕的事物？越想越不敢跨出第一步。如果你曾產生疑問：「我到底為何而活？這樣日復一日地重複一成不變的生活，是我要的嗎？」如果你心裡還有熱情，對事情有盼望，那麼就去嘗試，無須瞻前顧後。常常想太多的結果，就是什麼都沒做成，最後只能抱憾。與其徒留遺憾，不如給自己機會，就算別人當你是傻瓜也無所謂，至少你嘗試過，即便你穿越了那一道牆，看到的世界沒有預期的美好，那也沒有

什麼損失。其實，所有的經歷，無論當下我們感受到的是愉悅歡欣還是痛苦磨難，皆隱藏著宇宙送來的祝福訊息，我們無須抗拒，要相信一切都是最好的安排，只是我們可能需要過一段時間的沉澱後，才能夠慢慢領悟、體會我們在這過程中究竟領受到了什麼樣的珍貴禮物。

　　人活著就該朝向越來越自由自在的生命狀態前進，不要顧慮太多他人的眼光，只要想追求的事物既不會傷害自己、也不會危害他人，那就給自己一次機會放膽翻越心牆吧！去看看牆的另一邊到底有著什麼樣的風光。跨出去的每一步都是成長，都在為自己的心靈注入新鮮活水，也在為自己的人生創造新的可能、新的盼望。

　　你可能會問：「我也很想克服恐懼，為自己的生命注入活水，可是我就是沒辦法克服恐懼，我就是會害怕，該怎麼做好呢？」另一本繪本《When You Are Brave》對於如何克服恐懼，提供了實際的引導：當我們感到不安、焦慮或恐懼時，我們可以閉上眼、深呼吸，回歸自己的內心，在心裡連結先前有過的愉快、成功的經驗，或是親朋好友給我們的情感力量。透過連結美好的成功經驗與愛的記憶，讓人得以心生勇氣面對挑戰。

　　願你我的內心都有足夠的勇氣之光，引領我們突破恐懼的心牆，朝更自由自在的生命狀態一步步前進。

I Really Want to Shout

作　　者 | Simon Philip
繪　　者 | Lucia Gaggiotti
出版公司 | Templar Publishing

為情緒找適當出口，回歸心靈平靜

I Really Want to Shout

故事介紹

　　故事裡的小女孩有好多理由足以讓她想大聲吼叫，例如想出去玩時，媽媽跟她說要吃晚餐了；想晚點睡，卻被催促上床；在學校一名男生誣賴她，跟老師說是她絆倒同學，害同學受傷。這些種種發生在她身上的外在事件，都讓她情緒失控得忍不住要大叫！她也想過要把負面情緒積壓在心中，但是日積月累下，負面情緒一旦爆發，能量嚇人，一發不可收拾啊。

　　幸好小女孩有個溫柔善解的爸爸，他懂得女兒情緒找不到出口的困境，溫柔地抱住她，呵護她的情緒，讓小女孩感受到她是被理解的，心情得到了撫慰。接下來的日子，小女孩還是有可能情緒大暴走，想要吼叫，然而在爸爸的引導下，她慢慢摸索出對待憤怒情緒的方法，爾後她將更知道如何照顧自己的壞心情。

And then she does a bellyflop,
which makes me laugh, my crying stop.
She's quite the expert with a mop.

"Incredible!" I shout.

And once she's checked that I'm okay,
she asks, "What makes you feel this way?"
"Just ... everything!" I have to say.

"I always want to shout."

貞慧說說話

　　這個故事探討的是，如何與自己的憤怒情緒好好相處。故事最後作者提供了幾個對待憤怒情緒的方式，例如：在腦海中想著自己最喜歡的地方，或是找一處可以讓自己心靜下來、感到放鬆的空間；趕緊離開那個即將引爆你憤怒情緒的人；說出你的感受或是把感受寫下來；緩慢地深呼吸等等，都是很值得參考的好方法。

　　其中最讓我產生共鳴的方法是「靜坐深呼吸」，透過有意識的深呼吸，把紛亂的思緒拉回此時此地。故事裡有個情節，描述小女孩深呼吸幾下後，便呼呼大睡。我也時常在深呼吸一小段時間後，感覺放鬆就睡著了。深呼吸真的可以讓當下緊繃的情緒，慢慢緩和下來，即便在深呼吸、靜坐的過程裡睡著了也無妨，這也是一種休息。

　　也來分享一下我自己處理憤怒情緒的方法，首先是「轉念」，很多事情如果可以轉念看待，就不會導致憤怒失控。我們不用等到憤怒了，才想到該如何與憤怒相處。原先會對某件事感到生氣的，轉個念，看待此事的角度不同了，當情境、事件發生時，就不容易引發生氣的情緒。

　　如何轉念呢？舉例來說，爸媽面對青春期的孩子叫不動，做事拖拖拉拉，唸他幾句還回話，當下會很生氣，氣孩子沒禮貌、大聲吼叫回嘴，父母覺得自己的地位受到挑戰，嚥不下這口氣，於是在情緒高漲的情況下，責罵甚至出手打孩子，與孩子發生強烈的親子衝突。其實，何妨轉個念看待青春期孩子。他們正處於從兒童過渡到成年的尷尬時期，身心出現劇烈變化，他們不是不想控管好自己的情緒，但情緒就是容易暴走，這讓他們自身也感到頗為沮喪、懊惱。父母除了持續表達關心，

讓孩子知道自己始終是被愛的，也該給予他們私人空間去釋放、整理紛亂的情緒。等其情緒過後，再找適當時機和孩子好好聊，孩子的接受度會比較高。

再舉轉念另一例，夫妻各出身於不同的成長背景與家庭環境，婚後一定有彼此看不慣的生活習慣，這恐怕需要花上好幾年的時間去磨合，過程中難免會發生天翻地覆的憤怒爭吵，但夫妻倆若能轉念，願意坐下來平心靜氣地溝通，而非老是指控對方的不是，且認知到沒有人是完美的，也沒有人可以百分之百按照他人的標準過生活，實在無須每個日常小細節都要計較、都要糾結，這樣不僅是精神上的極大耗損，原有的愛情也會一點一滴消磨殆盡啊！

另外，工作上遇到上司不合理的要求，或與同事之間的互動產生摩擦，覺得自己被虧待，內心有滿腹的委屈與怒氣，這時也可以轉念想，雖然我們無法決定每天會遇到哪些人事物，但我們可以決定如何看待與應對。我們可以正向思考，除非是上司壓榨得太過分，否則上司給予的新挑戰，就把它當作是學習的好機會吧！我們不都是在一次次承擔挑戰的過程中，突破自己的局限，讓自己越來越強大的嗎？而同事之間發生不愉快或衝突，也讓我們有機會調整自己與他人的相處之道。當然凡事都要在「愛自己」的前提下進行，不要什麼事情都隱忍下來，當個沒有底線的爛好人肯定是不值得的。

當我們遇到事情時，有時自己的力量比較薄弱，做不到轉念時，尋求他人的傾聽與陪伴，也是一種對應方式。別把情緒都憋在心裡不說，找信賴的家人、好友聊聊，抒發一下內心的不開心，心情會好很多。

有些人很抗拒憤怒情緒，每次憤怒情緒一來襲，就會很想趕快把它趕走，不希望它來擾亂平靜的生活。其實，凡是人都會有喜怒哀樂，情緒來來去去很正常，請容許情緒的自然流動。生氣時，試著深呼吸，感

受一下憤怒引發的身體反應，不要急著把它壓抑下來，想想為什麼自己會那麼生氣？是被誤解的委屈？還是權威感遭受挑戰的氣急敗壞？還是不被重視帶來的難過、挫敗？然後好好地照顧自己受傷的情緒，告訴自己：「沒事沒事，放心放心，情緒只是一時的，等一下就會退去，一切都會安好，一切都沒有問題。」

我們都有自己情緒的引爆點，遇到某些狀況，特別容易引發我們生氣的情緒，原因可能是我們過去在哪一個事件裡與人互動時留下了陰影或傷口，之後遇到類似的情境，便自然地產生防備心，挑起生氣的情緒。我們可以回來照顧自己，療癒自己內心受傷的小孩，不要害怕、抗拒，靜下心來觀照情緒的流動，會發現其實情緒好似天上浮雲，不會一直停留不去。它來的時候，就給自己一點時間和它在一起，感受它、照顧它；它離開時，也別忘了跟它道聲謝，謝謝它又讓我們與自己的內心更靠近、更加理解自己，也更懂得如何愛自己。

The Two Mutch Sisters

作　者｜Carol Brendler
繪　者｜Lisa Brown
出版公司｜Clarion Books

保持適當距離，關係保鮮更親近

The Two Mutch Sisters

故事介紹

Ruby 和 Violet 是一對姊妹，父母顯然疼愛有加，從小到大，姊妹倆的玩具不是共享，而是任何玩具都足一人一個，例如玩具茶壺一人一個，泰迪熊一人一隻。後來，隨著年齡的增長，姊妹也開始有自己的收藏，雖然是收藏同類型的物品，但她們有各自喜歡的風格，差異性明顯可見。

多年下來，姊妹收藏的東西多到居住空間已容納不下，屋內顯得凌亂不堪，毫無生活品質與品味可言，直到姊姊 Ruby 終於受夠了這樣的生活，她決定搬出去。妹妹 Violet 卻大感不解與難過，這樣的生活不是一直過得很好？兩人從未因這樣的生活吵過架啊！

搬到新家的 Ruby 大鬆一口氣，心情愉快地布置理想中家的模樣。然而夜闌人靜時，Ruby 突然感到若有所失……。隔天，Ruby 返回原

From that day on, the two Mutch sisters
never had too much of anything.

They had each other close by...

and that was just enough.

先她和 Violet 的家，發現房子不見了，而且土地還標示著「出售」字樣。在她擔憂 Violet 去向之際，Violet 出現了，而且竟以「驚人之舉」，解決了既想保有個人獨立生活空間，卻又思念、牽掛手足的難題。

貞慧說說話

我們稱兄弟姊妹為手足，手指和腳趾可以緊密合併，但也可以張開一些距離，這樣的一張一合，以手足來形容兄弟姊妹關係，真是恰到好處。雖然手足都是同一父母所生，但不代表個性與喜好會相同或相近。像我的兩個孩子個性和喜好明顯不同，姊姊個性較為活潑，喜歡繪畫、手作和文字創作；弟弟個性較為內斂，喜歡玩線上遊戲和打棒球。兩人有時也會吵架，大部分時間是弟弟讓著姊姊，也會保護姊姊。

繪本裡的姊妹，從小時候的玩具茶壺開始，已經呈現差異性，長大成人後，兩人還是同住一個屋簷下，作者藉由收藏品的差異化擴大，暗喻姊妹倆個性迥異，一位努力容忍共同生活造成的空間侷促與種種不便，另一位則看不見對方的隱忍，直到其中一方受夠了，決定搬家，才終於讓問題浮上檯面。

人與人之間最好的距離是：有點黏又不會太黏，有點靠近又不會太靠近。例如夫妻關係，在結婚多年後，熱戀的感覺褪去，若沒有努力維持愛情的鮮度，就會變成彼此好像只是同住一屋簷下的室友，兩人的距離感覺越來越遙遠；或是如果有一方把關係視為理所當然，佔有欲強，不准另一半擁有半點私人自處的時間與空間，什麼事情都以自己為主。這樣的關係會給對方很大的壓力，絕對不是和諧、舒服的婚姻狀態。現今有些夫妻協調出各自獨處的模式，例如週六是妻子的姊妹日，讓平日忙碌於家務和照顧小孩、長輩的妻子，外出同好友小聚談心，轉換一下心情之後再回來；而週日則變成丈夫的兄弟日，與三五好友相約打球騎車，享受小小的放風時光。在彼此互信、相互包容的前提下，給予對方一些空間，有助於夫妻關係的維繫與提升。不

過這樣的例子並非適用於每對夫妻，每個家庭狀況不一，還是需要夫妻根據自己家中的現實情況，協調出兩人都能接受的模式。

這個故事也表達出親情的深度連結，搬出去的姊妹，感覺生活空間變舒服了，自己可以決定家具、物品如何擺設，實現多年渴望。然而夜幕低垂時，分隔兩地的姊妹，心中感到少了些什麼，彼此牽掛著對方，這就是對親情的渴求。其中一姊妹想到兩全其美的方法，雖然這個方法在故事中以誇張幽默的方式呈現，實則反映出今日社會早已存在的現象：許多手足買房住在彼此附近，也有好友選擇住在同一棟公寓，更有一些毫無血緣關係的長輩與年輕人共享居住空間。如此不僅可以各自擁有獨立的私人空間，平時也能在公共空間交流聊天，彼此陪伴；急難的時候，亦能相互照應、幫助。

人無法遺世而獨居，我們都渴盼與人建立深層、親密的情感連結，但同時又希望保有個人的獨立性，如何拿捏，在在考驗著我們處世的智慧。而我們不都是為了學習「與人好好相愛」這門課，才誕生於世上的嗎？祈願你我都能在愛裡學習、成長，圓滿這一生。

The Last Tiger

作　者	Petr Horáček
繪　者	Petr Horáček
出版公司	Otter-Barry Books

自由無價，萬物皆擁有自由的權利

The Last Tiger

故事介紹

　　叢林裡住著各式各樣的動物，大家雖然安心地過著生活，卻依舊隨時保持警覺心，為的是逃避人類的獵捕。然而有隻老虎天不怕地不怕，以為自己最強壯有力，只有別人怕牠，沒有牠怕別人這回事。

　　有一天，叢林裡來了一群獵人，動物們逃的逃、躲的躲，只有老虎一點也不怕，覺得自己兇猛有力，絕對可以嚇跑獵人，還故意出現在獵人看得見的地方。獵人們看到老虎自然見獵心喜，回到城市後開始詳細規劃圍捕老虎的行動。獵人順利捕捉到老虎，將牠帶到城市的動物園供人參觀。

　　被關在籠子裡的老虎，失去了自由，強而有力的身體無用武之地，牠變得越來越不快樂，食慾也越來越差，體力衰退不少，身形更是狠狠地縮小了一大號，不過也因此得以穿過鐵籠欄杆，逃離人類的囚禁。逃

Deep in the jungle
lived a fearless tiger.
No other animal was as strong
and powerful as he was.

出鐵籠的老虎，迫不及待地往叢林奔去，這時牠終於了解，強壯有力比不上自由來得珍貴、重要。從此，牠也和其他動物一樣，見到人類闖入叢林時，會立刻躲起來，因為牠不想再被剝奪可貴的自由。

貞慧說說話

　　這是個值得深思的故事，我並不認為老虎太自大無知，不知人類險惡，讓自己陷入獵人圍捕，落得被囚禁於動物園鐵籠的下場。該受譴責的應是以自我為思考中心的人類，人類企圖將難得看見的動物，硬生生地從牠們的棲息地遷移至不屬於牠們的地方，滿足了自己觀賞珍奇異獸的欲望，卻剝奪了牠們的自由與快樂。試想，如果人類不侵入、破壞牠們的棲息地，會有這麼多生物絕種或正處於瀕臨絕種的危機嗎？

　　雖然人類將牠們集中豢養在動物園裡，讓牠們隨時都有食物吃，看似在照顧、保護牠們，牠們卻因而喪失了覓食的天生能力，也失去了自由。我一直很排斥去動物園，因為實在不喜歡看到本該生龍活虎、自由自在奔跑的動物，流露出空洞渙散的眼神，病懨懨、毫無生氣地蜷縮在一隅啊！我們可不可以學習換位思考：如果有一天，我們也被其他物種圈養，失去了自由，我們會喜歡嗎？會快樂嗎？難道不會感到痛苦嗎？

　　如果人類渴望親眼看見平常不容易見到的野生動物，可以透過環保旅遊的途徑，在不打擾、侵犯牠們生存環境的前提下，到當地探訪，而不是以粗暴的方式，將這些動物帶離牠們的棲息地，讓牠們失去自由，心靈也深受創傷，這樣的做法無疑是對動物權的漠視與迫害。記得幾年前有一隻名叫「阿河」的河馬，人類在運送牠到另一展示場所的過程中，連續重摔牠兩次，導致牠重傷不治，死在馬路上，這是多麼令人心痛的憾事啊！

　　自由無價，萬物皆擁有自由的權利。我們在乎動物的自由權，當然也在乎人類的自由權。我們不時可從新聞報導中得知，世界各地不同角

落正發生不計其數的人們失去自由的消息，或者正為了自由而奮鬥，甚至因此喪失性命。例如為人身自由奮戰還被軍警屠殺的緬甸人民，以及為自由撐傘抗爭的香港人權鬥士，還有衣索比亞的部落人民遭軍隊滅村等等，類似的消息層出不窮，令人感到難過痛心。對比他人遭遇的苦難，在台灣享受各種自由的我們，實在要好好守護、珍惜這得來不易的權利。

「不自由，毋寧死」這句話大家應不陌生，許多人寧可犧牲歲月和生命來換取自由，這讓我想到一部我非常喜愛的經典電影《刺激1995》（The Shawshank Redemption），這部電影就是在傳達「自由的可貴」。身處牢籠的男主角花了 20 年的時間，暗中精心策劃，神不知鬼不覺地默默鑿了一條逃亡通道，為的就是無論如何都要重新獲得自由。

另外，這個故事也讓我想到，我們雖看似生活在自由國度，卻可能因為內心有著諸多的不安害怕，而給自己設下種種限制，束縛了心靈的自由。這種狀況其實與故事裡老虎被囚禁於籠內的情形無異，我們自己囚禁了自己的心，讓心無法自由呼吸。但願我們都能隨著年歲的增長、生命不同階段的歷練，越活越自由自在，漸漸放下對未來的恐懼、對他人眼光的在意，以及強烈想要掌控周遭一切的執念。試著將心敞開，安住在每一個當下，要相信我們的存在都是受到祝福的，儘管放下擔心，還心自由。

📖 **Littlelight**

作　　者	Kelly Canby
繪　　者	Kelly Canby
出 版 公 司	Fremantle Press
中文版書名	《微光小鎮，圍牆不見了》（字畝文化 出版）

多元文化和諧交流，創造文明進步火花

Littlelight

故事介紹

這是一座名為「微光」的城鎮，四周以磚頭蓋著高聳的城牆，只有些許陽光能照進來。鎮長認為，高牆可保護居民的安全，免於受到奇怪族群侵襲的危險。城鎮的居民也都同意，這座高牆可以保護他們的安全。

有一天，鎮長發現城牆有幾塊磚頭不見了，他怒氣沖沖，要查出是誰偷走了牆磚。他對居民說，城牆保護他們不會受到他族的騷擾，居民贊成鎮長說的話，對於牆磚遭到偷竊感到非常生氣。

然而，高牆磚頭的消失並沒有停止，四面城牆的磚塊一塊塊地消失，破了一個很大的洞。居民因此看見，住在城牆外頭的幾個族群，有著不太一樣的長相、種植獨特的食物、說著奇怪的語言、彈奏奇特的音樂跳著舞、還讀著陌生的書籍。

'BUT OUR WALLS!'
cried the Mayor.
'We must protect ourselves
from everything that is
different and *unusual*,
strange, offbeat and
unfamiliar!'

　　鎮長更憤怒了，對居民說一定要揪出偷磚賊，居民也更生氣地表示同意。在他們四處搜索偷磚賊時，偶而會聽到不同的語言和特殊的音樂，也會聞到不同食物的味道，聞起來似乎很美味。最後他們抓到一名女孩，說她就是偷磚賊。起初鎮長和居民對小女孩的行為感到憤怒，要處罰小女孩，但是當居民想到充滿色彩的族群、全新食物的美味和特殊音樂舞蹈帶來的愉快，他們終於不再同意鎮長的話，還幫鎮長築起一道小高牆，希望他準備好接受多元文化之後再出來。從此，這個城鎮從光線微弱的灰黑氛圍，變成了明亮多彩。

貞慧說說話

這個故事的結局正是多元族群與文化和平愉快交流的最佳寫照。

故事一開始，城鎮四面皆築高牆，沒有跟外在世界互動，陽光也照不太進來。一開始鎮上的居民跟鎮長想法一樣，覺得這樣的生活很安穩，因此不想與城牆外不熟悉的世界有所接觸。當小女孩把牆磚一塊塊拿掉後，一開始他們覺得沒有城牆保護，很沒有安全感，心生抗拒、焦慮、害怕。

在一片片牆磚被拆除後，城鎮居民發現，四面城牆外的族群也挺有意思的。雖然聽不懂他們的語言，歌舞也非常新奇，但這些不一樣的元素，讓居民的生活頓時鮮活起來。此外，他們沒有因為彼此不同，相互造成危害或威脅，還能品嚐不同族群的特色美味料理，多好啊！先前的那些擔憂，後來發現都是多餘的。只有鎮長仍無法消除心裡的不安全感，他依舊覺得需要城牆的保護，不跟外界接觸才是最安全的。最後，居民為鎮長築了個小牆，讓他先待在裡面，等他準備好敞開心胸擁抱多元文化的洗禮時再出來，這真是個幽默的結局安排。

鎮民並沒有把無法接納多元族群交流的鎮長驅逐出境，這樣的結局安排真好。倘若故事最後是把鎮長趕走，如此傳達給讀者的訊息便會是：「只要與多數人的想法有所不同，非我族類者，就將之排除在外」，這樣一來，結局就會與故事主旨產生矛盾衝突了。作者在結尾設計鎮民只是將鎮長留在一個安全的空間，等他做好心理準備再出來。這種寬容地等待他人做好準備，是一種暖心的理解與體諒，亦是對「差異」表達尊重的展現。

　「差異性」不僅存在於不同族群之間，即便是同一個族群的人，也可能因為彼此有一些不一樣的地方，導致有人霸凌或歧視與自己不同的人。這個故事提醒我們尊重、接納多元差異，這不單單只是面對外國族群時應有的態度，在自身所處的社會中，我們也需覺察自己是否帶著有色的眼光，看待和我們不同的人。有些男性個性較為陰柔，便遭人嘲諷，稱其為娘娘腔，甚至被冠以不雅的稱號。或是，社會底層、社經地位較差者，被投以歧視眼光或受到不平等對待，這些都是人們對差異性的不夠尊重而展現於外的輕視與欺壓。人生而平等，我們實在沒有權利看輕、批判甚或攻擊與我們不相同的人。

　這本繪本的插畫十分吸睛，作者以螢光色凸顯東南西北不同族群的差異，每個族群文化、每種差異都是亮點。如果我們敞開心胸，帶著欣

賞的眼光，就會發現各個族群擁有各自獨特豐富的文化底蘊與內涵，都有值得彼此學習的地方。這個世界之所以可愛，就在於多元差異帶來的生猛活力。倘若所有人都活成同一副模樣，所思、所言、所行毫無二致，這世界恐將窮極無聊，一點都不好玩啊。

即便我們彼此之間有膚色的不同、有種族的差異；即便我們處在迥異的地理與氣候環境；即便你我說著彼此聽不懂的語言，飲食文化和宗教信仰也大異其趣；即便我們可能有著不同的性別取向和社經地位，然而看似有這麼多不同的我們，都居住在同一顆星球上，身體裡都流淌著溫熱的血液，都有著一顆跳動不止的心，也擁有共通的人性與情感，這麼相似的我們，是不是該好好彼此珍惜與善待呢？

延伸閱讀

The Driftwood Ball
作　　者：Thomas Docherty
出版公司：Templar Publishing

故事描述獾和水獺相互看對方不順眼，生活上也沒什麼交集，不過牠們彼此有個共同點，就是都喜歡跳舞。然而就連在舞會上，牠們也各跳各的，從未想過要交流。直到其中一隻獾和其中一隻水獺相互欣賞，展開美好的連結，方才帶動了所有的獾和水獺在舞會上歡樂暢快地共舞。

透過愛與欣賞的眼光，我們能夠打破人我之間的隔閡與藩籬，看見對方的好，也看見彼此內心其實有著許多共通之處，沒有外表看起來的那麼不一樣。

Thank You!

作　　者｜Charo Pita
繪　　者｜Anuska Allepuz
出版公司｜Eerdmans Books

抱持感恩之心，體會我們領受的一切

Thank You!

故事介紹

天色已近黃昏，祖母與孫女伊莎貝拉到鎮外的海邊散步聊天。好奇心強的伊莎貝拉，覺得祖母一定無所不知，沿途問她好多關於大自然的問題，例如：海水為何碰到沙灘便止步，沒把全村襲捲吞沒呢？為何月亮不會從天上掉下來？到底是誰在天空畫上雲彩？是誰吹起了風？祖母耐心地聽著伊莎貝拉的每一個問題，卻總是笑而不答。

伊莎貝拉不死心，再問祖母其他問題：為何冬天來了，白天就越來越短？是誰把太陽的光打開的？祖母依舊沒有回答。伊莎貝拉後來問祖母為何都不回答她的問題？祖母終於開口回應，她說這些問題其實她並沒有答案。但是她告訴伊莎貝拉，我們可以怎樣對待這些大自然的謎團，那就是懷抱感謝之心去欣賞、珍惜這一切。接著祖母與伊莎貝拉脫下鞋，走入海水中，感受海水輕拂雙腳，並對海洋道謝。她們也對天上

的雲、空中的風道謝。返家路上，夕陽西沉，月亮浮現，祖孫倆也對太陽和月亮説謝謝。

睡前，伊莎貝拉問祖母為何歲月在她的臉上刻畫痕跡，祖母説她不知道，伊莎貝拉撫摸著祖母佈滿皺紋的雙手，對祖母表達感謝。這時她明白了，她的問題其實不需要答案，只要心存感激地來看待大自然賜予的一切，便已足夠。

「祖孫之間的溫暖情誼」一向是繪本在呈現「親情」這個主題時，頗為觸動人心的故事設定。

故事中孫女伊莎貝拉不斷對祖母提問，而祖母只是笑而不答，令人聯想起多年前的一部法國電影《蝴蝶》（Le Papillion）的主題曲，歌曲中小女孩也是不停地問老爺爺有關大自然以及人與人之間的問題，而老爺爺以幽默、生活化卻帶哲理的答案來回應小女孩，兩者頗有異曲同工之妙。

看得出來伊莎貝拉非常喜愛祖母，可能還有點崇拜，覺得祖母應該是什麼都懂的人。她問了祖母好多問題，覺得祖母可以給她明確的答案。但事實並非如此，祖母沒有給伊莎貝拉任何具科學根據的答案。她告訴伊莎貝拉，其實她並不知道答案，不過她說，即使不知道天地萬物是怎麼運作的，只要我們帶著欣賞、感謝之情，就已足夠美好。

當然，這個說法並不是要否定科學探究，或否定知識追求的重要性，作者主要是想傳達，人類對自然萬物應當懷抱一份珍惜與感念的心意。

對世界充滿好奇的小孩，總愛不停地發問。故事裡的祖母可貴之處在於，即便孫女的提問一個接著一個，她卻未顯露不耐，沒有阻止孫女繼續發問。當小孩問問題時，正是他們開發自身探索力、好奇心與創造力的時刻，大人面對喜歡發問的孩子，應給予其正向鼓勵，不妨和孩子一同探求問題的答案。

祖母對萬事萬物心存感謝，她也帶著孫女對海浪、微風、雲朵、太陽和月亮表達謝意，如果我們可以向故事裡的祖母看齊，時時帶著欣賞的眼光和感謝的心意，去看待每天見到的、遇到的、聽到的人事物，我們的心會變得明亮開朗，不會這裡看不順眼，那裡也覺得不對勁，事事都要批判質疑。即便遭逢艱難困頓，倘若能夠懷抱感恩之心，正向面對眼前遭遇的種種不順遂，也許會發現，逆境其實是上天賜予我們的隱形禮物，其中暗藏著一些重要且美好的人生訊息在裡頭，端看我們是不是能敞開心去感受這份滿溢著愛的祝福。

　　我們說出來的話語，是帶有力量的。如果我們心裡想的、嘴裡說的是正向的，傳遞出去的能量也會是正向的，如果整個社會慢慢有傳播正向能量的風氣，大家願意懷抱感謝的心意去看待周遭的一切，我們所處的環境氛圍將會越來越祥和溫暖，甚至召來宇宙更大的祝福。

　　故事裡的祖母真的很有智慧，她帶著孫女對自然萬物表達感謝，縱使這個世界有太多我們無法參透的事和無法理解的現象，然而不理解沒有關係，只要時時感恩我們所擁有的，感恩我們如此幸運可以活在地球上，得到許多動植物帶給我們的身心靈滋養。抱持這樣的心情去體會我們所領受的一切，會發現活著真的很美、很好。

名人語錄

「感恩的心與幸福感成正比，愈懂得感恩，就會愈幸福。」

——松下幸之助（Panasonic 創始人）

The Pros and Cons of Being a Frog

作　者 | Sue deGennaro
繪　者 | Sue deGennaro
出版公司 | Simon & Schuster / Paula Wiseman Books

10

讓我們在愛中彼此珍惜

The Pros and Cons of Being a Frog

故事介紹

　　小男孩總是喜歡穿著動物造型的服裝，當他穿著貓咪服時，引來他家的狗追著他跑來跑去。

　　班上有個女同學名叫卡蜜兒，她對數學非常著迷，開口閉口都是數字。卡蜜兒看到小男孩穿著貓咪服被狗追了十一天之後，主動提供點子給小男孩，建議小男孩換穿其他動物造型的服裝。後來小男孩穿起卡蜜兒建議的青蛙裝，小男孩也邀請卡蜜兒一起扮成青蛙，卡蜜兒同意了。

　　然而，在他們一起為卡蜜兒製作青蛙裝的過程中，兩人因意見不合吵架了，卡蜜兒氣得轉身離開。小男孩很難過，他失去了最好的朋友，他列了一張「穿青蛙裝的利與弊」清單。列出這份清單後，小男孩了解到自己需要卡蜜兒這個朋友，於是立刻跑去找她道歉，兩人盡釋前嫌，重拾友誼。

I was getting confused with the measurements. Camille just wouldn't stand still.

1·6 6
2·6 12
3·6 18
·6 24
·6 30

6·36
7·6 42
8·6 48
9·6 54

She sang her **six** times tables

louder and **louder**

Suddenly, and without thinking, I shouted

在孩子的世界裡，友誼畢竟沒有那麼複雜，和朋友吵架後會很難過，但也很容易和好，只要願意說出那句充滿魔法的話語——「對不起」，就能重新修補友誼。然而隨著年紀的增長，心思變複雜了，人際關係的裂痕有時候似乎很難再以一聲「對不起」來彌補，爭執的原因往往比孩提時期的拌嘴爭吵來得複雜難解。然而，倘若這段友誼是我們珍視的、想要好好守護的，那麼當與好朋友發生口角衝突，或彼此有所誤解時，我們可以向故事裡的小男孩學習「向朋友道歉的勇氣」。

長大後，容易想太多，心裡會糾結：「我先向對方道歉，是否就表示，往後和他互動，我會處於弱勢地位？」其實，向朋友誠摯道歉，對方感受到了也願意原諒你，顯示對方重視你，兩人依舊處於對等關係，而且相信經過真誠的和解過程，雙方都會更加了解彼此的內心世界，友誼將更為堅定。

人與人之間是要經過長時間相處，從相處中學習如何互動，這個過程一定會發生摩擦和誤解，因為每個人的想法與個性都不一樣。你喜歡的，對方不見得喜歡，甚至討厭；你珍惜的東西，對方可能不覺得那有什麼特別。如果凡事都只站在自己的角度來看待，就無法同理對方的心思與感受，彼此的隔閡將日益擴大，兩人恐將漸行漸遠。

演藝圈裡，于美人與已逝的羅霈穎是為人所熟知的好姊妹，一個是名嘴兼談話性主持人，一個是性感美艷、愛跑夜店的美魔女藝人，兩個人原本八竿子打不著，卻能相互尊重、欣賞彼此南轅北轍的差異，成為惺惺相惜的莫逆之交。羅霈穎離世後的喪禮，于美人忍住失去至交好友

的椎心之痛，幫羅霈穎辦了一場符合羅霈穎風格的喪禮，要不是平時就十分了解好友的喜好與個性，絕無法如是好好送走此生最愛的朋友。

故事裡的兩個主角雖然個性、喜好皆不相同，但小男孩尊重卡蜜兒對數學的熱愛，小女孩也全力協助小男孩製作青蛙裝。兩人不僅相互支持各自的喜好，也嘗試理解對方的想法。他們在愛中珍惜著這份情誼，因為珍惜，縱使發生爭執，也願意放下身段道歉，這份內心的柔軟好珍貴，你我是否也還保有這樣一份柔軟呢？

我們不僅要學習與人相處，也要學習與自己相處；學習愛別人，更要學習愛自己。畢竟懂得愛自己之後，才有可能真正給予他人有能量的愛，而不是討好他人的愛、委屈求全的愛、不對等的愛、看別人臉色行事的愛，或是卑微且讓自己受苦的愛。

話說這本繪本的畫面構成很有意思，插畫背景隨處可見數字，作者賦予這些數字特別的意涵，例如出現數字 23 時，就表示卡蜜兒說「是」；若出現數字 17，就代表她要表達「不」的意思。而令人玩味的是，常可見數字 8 現身於圖像中，無論是好友兩人共同製作青蛙裝，還是小男孩列出穿青蛙裝有什麼樣的優缺點時，以及到最後男孩前往找卡蜜兒道歉的路上，手裡握著的也是數字 8。我想，數字 8 傳達的是「友誼的連結」吧！你覺得呢？

祈願你我都能帶著愛與善意與他人連結，無論緣分或深或淺，都能在相遇的時候，好好珍惜，為自己與對方留下美麗的記憶。

Beyond the Fence

Maria Gulemetova

作　者｜Maria Gulemetova
繪　者｜Maria Gulemetova
出版公司｜Child's Play Ltd.

愛是放手，是自由

Beyond the Fence

故事介紹

　　小豬是男孩湯瑪斯的寵物玩伴，湯瑪斯喜歡說話，小豬必須靜靜地聽他說話。他總是告訴小豬，他知道小豬適合穿什麼、該玩什麼。有一天，湯瑪斯的表妹來訪，小豬趁機外出散步。牠遇到一隻野豬，野豬好奇地問牠為何全身包得緊緊的？小豬說牠身上包的是衣服。野豬問小豬包成這樣，在跑過樹叢時，不會被樹枝纏住嗎？小豬說，牠從未奔跑過。野豬說奔跑很好玩，建議小豬試試看，牠可以陪小豬一起奔跑。小豬很心動，但牠婉拒了，因為牠得回屋子去，不過牠問野豬可否再見面，野豬答應會再來。

　　每一天，小豬望向窗外，盼望再見到野豬，可是野豬一直沒有來。有天傍晚，野豬出現了，牠為遲到感到抱歉，牠說牠掉入陷阱，花了三天才脫困。野豬問小豬要不要一起在森林裡奔跑，小豬雖然很想，但牠

心有顧慮，因為牠被限制不能越過圍牆。野豬說沒關係，牠隔天黃昏會再來找小豬聊天。小豬好高興，滿心期待。

　　隔天早上，湯瑪斯的表妹離開了，湯瑪斯回頭找小豬，看牠在蓋積木，便問牠蓋的是什麼？小豬回答牠蓋的是一座森林。他不屑地把小豬蓋的森林踢翻。他霸道地要小豬看他表演布偶秀，小豬被迫坐在椅子上觀賞，卻心不在焉。傍晚，小豬聽著湯瑪斯說故事，無法脫身，牠好希望野豬隔天會再來找牠。

　　次日傍晚，小豬藉口從湯瑪斯身邊離開，往屋外走，同時脫下衣服。湯瑪斯等不到小豬，咒罵這頭笨豬到底到哪裡去了，這時小豬早已越過圍牆，和野豬一起奔向自然。

故事裡的男孩要小豬配合他安排的一切，包括牠該穿什麼、吃什麼、聽什麼故事和玩什麼遊戲。他自以為知道什麼才是最適合小豬的。同時，他不准小豬有自己的想法，不准牠跨越圍牆。這對小豬真的是最好的嗎？

我們可從小豬的表情看出，牠看似順服男孩的安排，實際上一點兒也不開心，臉上不見絲毫笑容。後來小豬遇見野豬，感受到不同的生活方式，牠終於知道自己要的是什麼，於是頭也不回地棄男孩而去，奔向牠嚮往的開闊與自由。

在家庭關係裡，時常可見像故事裡男孩與小豬這樣的互動狀況。有些父母覺得，小孩沒有什麼社會歷練，怕他們走冤枉路，會想幫他們做所謂最好的安排，希望幫他們選擇安穩、有固定薪水的工作，不會有一餐沒一餐。當然這個出發點是好的，然而，父母所以為最好的安排真的適合孩子嗎？和孩子的心意相符嗎？

大人總覺得孩子的夢想不切實際，常常叮嚀孩子，夢想不能當飯吃。給予建議雖然很好，畢竟大人還是比孩子多了那麼一點點的人生閱歷。然而，如果不給孩子選擇權，而是強行要孩子照著父母的規畫走，這就不是建議，而是命令了。每個人都應該是自己生命的主人，孩子雖是父母所生，但絕非父母的財產或所有物。他們是獨立個體，享有自由意志，他們的人生要怎麼走，應交由他們自己決定。我們可以給予其多面向的建議與提醒，但最後決定權在孩子手中，即便孩子的人生規畫走

上了一條我們覺得不好走的道路，我們還是要放下焦慮擔心，給孩子滿滿的愛與祝福，讓他有信心和勇氣去闖蕩、實踐夢想。

愛是放手，是自由。放手讓你所愛之人可以保有做自己的自由。父母對待年紀漸長的孩子應如此，夫妻之間的相處亦然。我們沒有權力以親情、愛情之名，行「暴力」之實。所謂「暴力」，指的不是肢體上的動粗，而是一種想要控制對方的強烈意念與行為，認定對方如果真的愛他，就該如何如何；若是做不到，就是不愛他。類似這樣的親情暴力、愛情暴力屢見不鮮，其實這已非真愛，而是有著附帶條件、不純粹的愛。

如果一味要求、期待對方必須做到什麼程度，才覺得是愛，說穿了其實只是自私地希望對方順從自己的想法，滿足自身的需求罷了。如果真的愛對方，就要信任他，給他做自己的自由，讓他發展他想要發展的，也允許他展現真實的個性。就像小豬待在男孩身邊時，一直無法表露真實自我，牠的天性被男孩壓抑，無法自由伸展。如果真的愛一個人，你不會想要把他形塑成你要的樣子，而是願意全然接納他原本的模樣。若非如此，你以為你愛對方，其實你只是愛心裡勾勒出的那個理想的對方，你最愛的人事實上是你自己啊。

真正的愛，不是控制、不是占有，而是願意鬆開緊握他的手，給他做真實自己與翱翔於廣闊天地的自由，然後在他需要的時候，陪伴他、守護他；在他生命陷落的時候，撐住他；在他想起你的時候，他會明明朗朗地感受到，你對他的愛不會褪色，永遠都在。

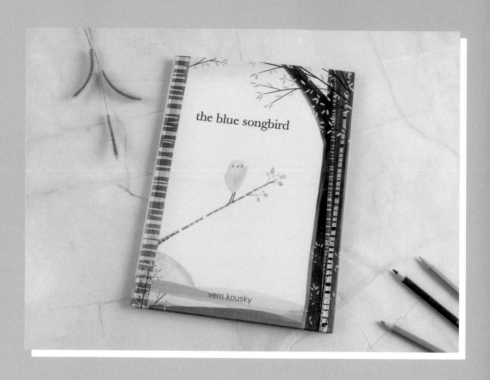

The Blue Songbird

作　者	Vern Kousky
繪　者	Vern Kousky
出版公司	Running Press Kids

踏上尋找自我定位的旅程，
開心譜出屬於自己的生命樂章

The Blue Songbird

故事介紹

　　有一隻藍色的鳴鳥，一直盼望能唱出跟姊姊們一樣好聽的歌聲，然而無論怎麼努力嘗試，就是無法唱得和姊姊們一樣好。母親鼓勵她離開家，去尋找一首只有她能唱得好的歌。帶著勇氣與韌性，她離開溫暖的家，飛遍世界各地，分別向鶴、貓頭鷹、鴿子、企鵝和烏鴉等鳥類請教，希望他們能教她唱出屬於她最特別的歌聲，然而沒有任何一隻鳥可以給她答案。

　　不過烏鴉跟她說，海的另一邊有座島，那裡充滿了全世界最迷人的歌聲，到那裡就可以找到她要的答案。於是，藍色小鳴鳥不畏沿途的困難艱辛，終於來到這座島上，突然眼前的景色讓她覺得十分熟悉，原來她繞了一大圈，竟又飛回自己的家鄉。她原本對沒能尋獲獨特歌聲感到

Here she found a bird who looked old and very wise.

"Hello, Mr. Wise Old Bird.
  In your long life, you must have heard
  of a very special thing—
  a song that only I can sing."

"I am Owl," hooted the bird. "Whoooo are you
looking for?"

"No, not who," answered the songbird. "I'm searching
for a song!"

But the owl only cocked his head.
"Whoooo? Whoooo?"

This must not be the wise bird after all, thought the
songbird. Still, she thanked him kindly, then flew off
once more to continue her quest.

失落沮喪，但她很開心能夠和媽媽重逢，她有好多話、好多故事想對媽
媽說。當她開口時，她發現自己不是在說話，而是唱起歌來，她唱起她
這段旅程的經歷，也唱出對家人的愛，她終於唱出獨特美麗的歌聲，一
首只屬於自己、無人可取代的歌。

貞慧說說話

　　生活裡，我們會遇到一些有趣的人，所謂的有趣，並非指這些人個性幽默、愛説笑話逗人開心，而是這些人是屬於有故事的人，經歷過許多我們平日生活範圍無法觸及的事情，比我們見多識廣。這樣的人每每説起他們的人生閱歷，時常讓人聽得津津有味、興致高昂，因為他們為自己創造出獨一無二、精彩絕倫的生命之歌，就像一首交響曲那般地澎湃有力。

　　能夠譜出像交響樂那般生命樂曲的人，必定經歷許多外人意想不到的試煉，方能成就不凡的生命樂章。然而這並不意味平凡如我們，就無法唱出屬於自己的歌。我們每個人的生命經驗皆不同，如果我們能從這些生命歷練，領略出一些道理、品嘗出一些滋味，即使無法譜出震撼人心的交響曲，至少也能為我們自己的生命奏出一首優美雋永的小夜曲。

　　早期有許多行業是世代相傳，不過他們訓練子女接班的方式，大多不是長輩自己調教，而是送到同業的工廠或店家去進行學習、磨練。等磨練到具有一定的水準與技術後，再將所學帶回來家傳事業。如此不僅能習得獨當一面的技藝，也為自家事業注入新活水，讓事業增添不少符合時代脈動的創新元素。這個故事裡的鳥媽媽如果沒有鼓勵小鳴鳥到外頭尋找屬於自己的歌聲，而是親自教授小鳴鳥唱歌，那麼小鳴鳥學會的歌曲，僅僅是模仿鳥媽媽的聲音，無法唱出自己的特色，也絕對唱不出專屬自己的生命之歌。

小鳴鳥為了尋找屬於自己的歌聲，勇敢離家到陌生的地方尋覓答案，雖然繞了一大圈似乎沒有找到她夢寐以求的解答，但並不表示她絲毫沒有收穫、無功而返。其實正因為繞了這麼一大圈，她才能從中發現自我，找到自己的定位，唱出獨一無二的歌聲。我們每個人都是自己生命樂章的作曲者，我們的生命之歌會呈現什麼樣的曲調風格？是悲傷？是快樂振奮？是創造命運？還是隨波逐流？全都取決於我們要為這樂章加入什麼樣的音符。人的一生說短不短，說長其實也不長，在有限的生命裡，你想唱出一首什麼樣的曲子呢？大膽創作吧！你要有強大的信念去相信，所有你心裡勾勒的生命畫面，都會以最美好的形式和樣貌來到你身邊。且帶著整個宇宙給予的祝福與守護，盡情歡快地奏出你特有的人生音符吧！有沒有人為這首曲子鼓掌叫好一點都不重要，外在的掌聲都是虛妄不實的，你是不是真的在演奏、高歌的過程裡，玩得開心、玩得淋漓盡致，才是重點啊！

　　願你我都能開開心心地唱出屬於自己的生命之歌。我們每個人用心譜出的生命之歌，沒有高下優劣之分，一樣精彩，一樣美麗。

　　祝福你，也祝福我自己。

The Way Home for Wolf

作　者｜Rachel Bright
繪　者｜Jim Field
出版公司｜Orchard Books

感恩身邊的貴人，
也期許自己成為他人生命中的貴人

The Way Home for Wolf

故事介紹

　　極地圈有群雪狼，他們在迷幻極光的夜晚嚎叫著。叫得最大聲的是一隻名叫 Wilf 的小狼，他盼望自己可以快快長大，有能力獨立完成所有的事，不用別人幫忙。

　　後來這群狼準備長途跋涉，遷移到他地。小狼 Wilf 走在最前頭，對大家說：「走吧！我來帶領大家。」大家笑他年紀還太小，他們需要經驗老道的成年狼來引領。不過大家也不忘鼓勵他，終有一天他會長大，會具備足夠的能力帶領大家找到新家。Wilf 聽了不免感到有些失望。

　　遷徙的路途中，小狼邁力地想要跟上大家的腳步，但畢竟他還年幼，追趕得有些吃力。一開始只落後大家一點點，慢慢地和大家的距離越拉越大，甚至到後來完全迷失了方向，徹底落單了。

　　和狼群走散的小狼，即便感到孤單害怕，也只能獨自在星空下過夜。隔天他遇上了危難，還好接連遇見不同的動物對他伸出援手，像是獨角鯨、海象、野牛、北極狐、鵝、麋鹿和蛾。在大夥接力協助下，他終於回到同伴身邊，狼群欣喜不已地相擁在一起。

　　終於得以和家人團聚的小狼，望向星空，想起一路上幫助他的動物們，心想如果有一天他遇上誰迷路了，他一定也會協助他們找到回家的路。

　　經歷過這趟旅程的小狼變得不一樣了，他感受到友誼的溫暖，對未來也感到踏實心安，因為他知道，不論生命帶他去向何方，他都將擁有朋友的協助扶持，一點也無須擔憂害怕。

貞慧說說話

人生旅途上，若我們細細覺察、感受，一定會發現，時常有好心人對我們伸出援手，有些幫忙也許是微不足道的，例如在我們迷路時，為我們指引道路，或是在我們雙手提滿物品時，幫我們開門等。這些小事對伸出援手的人來說可能不算什麼，但對處在那個當下很需要幫忙的人而言，內心會有著滿滿的感謝，甚至可能一整天都因此而感到順利、開心。

我們對於這些不吝伸出援手相助的貴人懷抱著感謝之情，雖然不一定有機會報答，但是我們可以將這份想要報答的心意，改施於其他人身上，成為其他人生命中的貴人。

大家也許聽過這個故事，在一個下著雨的冬夜，美國費城裡，有一對老夫婦找不到可以下榻的旅館，他們來到一間小旅店，當時值晚班的旅店人員喬治‧波特好心收留這對老夫婦，讓出自己的房間給他們倆過夜。幾年之後，老夫婦再度和這位工作人員聯繫，邀請他前往紐約見面，到了紐約，這名旅店工作人員才知道他當年幫助的人，竟然是紐約知名飯店主人威廉‧華道夫。華道夫十分賞識他的人品與處世態度，延攬聘用他擔任飯店的總經理。這個真實故事讓我們看見，我們不帶私利的善心善行，看似幫助了他人、成為他人生命中某個時刻的貴人，但我們也有可能因為這微小善舉，給自己帶來美好因緣，我們也可以是我們自己人生旅途上的重要貴人。

　　以善待人、助人，就是把善的正向能量傳播出去。被善與愛滋潤到的人，感念之餘，再次將這些善能量遞送出去，讓善得以開枝散葉，是一樁多麼美麗的事。真心覺得，這一生受之於人者太多，感恩生命路上眾貴人的善念護持，自己方能順遂安好地走到五十知天命之年。期許自己能夠在往後人生，持續給出貢獻，成為他人生命中的小小貴人，比如，盡己力於工作職場提攜後輩；透過寫作著書與演講傳遞善知識、善能量；另外，更更重要的是，在養護好自己身心的同時，也能以一顆溫暖誠懇的心，好好守護身邊摯愛的家人，成為他們堅實的生命後盾。

　　人生就該是這樣，你幫我，我幫你；你愛我，我愛你；你撐住我，我撐住你。我們都同處在愛編織而成的網上，互為彼此的貴人，願我們及時珍惜。

Bob Goes Pop!

作　　　者 | Marion Denchars
繪　　　者 | Marion Denchars
出 版 公 司 | Laurence King Publishing LTD.
中文版書名 | 《巴布的藝術大戰！》（三民書局出版）

14

一加一大於二，合作互助創造共好

Bob Goes Pop!

故事介紹

　　貓頭鷹問畫家 Bob 知不知道鎮裡來了一個擅長雕刻的新藝術家，大家現在都在談論他。Bob 大吃一驚，他認為自己才是城裡最厲害的藝術家，他決定前往這位雕刻家的工作室一探究竟。

　　這位名叫 Roy 的雕刻家，見到 Bob 的來訪，立刻大力展示他的各種雕塑作品，包括超級大漢堡、超級大水彩筆、超級大羽毛球，他還為每件作品取了華麗浮誇的名稱。但在 Bob 看來，這些作品平凡無奇，只不過是尺寸大了點而已。Roy 聽了很不悅，他認為自己的雕刻作品獨特非凡，他打賭 Bob 根本做不出來。Bob 當然不肯服輸，於是雙方展開了一場雕刻藝術創作大賽。

　　比賽中，Bob 雖然雕刻出不差的作品，但他發現 Roy 的作品的確頗有特色，他必須想些新的點子來贏得這場比賽。於是他趁夜晚沒人注

意的時候，偷偷跑到 Roy 的工作室，窺看 Roy 的創作。隔天，雙方竟
然展示出一模一樣的作品！這讓 Roy 非常生氣，指責 Bob 抄襲。雙方
產生衝突，爭執不下，結果他們倆創作的大型貴賓狗氣球連帶受到波
及，整個爆掉了。

　　Bob 看到 Roy 因為氣球作品被嚴重損毀而難過掉淚，感到十分自
責，他向 Roy 誠心道歉，並向 Roy 提議兩人合作創造新作品。於是兩
位藝術家各展所長，Bob 負責彩繪，Roy 負責雕刻，攜手一同打造出
一隻巨型貴賓狗造型的彩繪雕塑品，贏得大家的讚賞與喜愛，還為他們
開創無限商機！

貞慧說說話

　　我很喜歡這個故事的結局，兩位藝術家願意攜手合作，以共創共好的雙贏模式，來取代一開始的相互叫勁與惡性競爭。記得以前讀書的時候，老師很看重分數，每週都會打一張有著班排名的成績單給我們，造成許多同學對分數錙銖必較的心態，我也不例外。為了在成績上勝出，同學之間開始出現所謂「藏一手」的情形，不太願意分享自己覺得有效的讀書方法，深怕其他同學的成績會超越自己，這種心理就是競爭型心態所導致。

　　世界充斥著「適者生存，不適者淘汰」的觀念，這個故事則顛覆了這樣一個殘酷的競爭型生存法則。其實，我們無須彼此競爭，每個人都有各自擅長的地方。像故事裡的 Bob 擅長繪畫，而 Roy 擅長雕刻，兩人分別貢獻所長，共創藝術作品，一加一大於二，創作出來的成果，比他們原先獨自發想創作，所創造出來的結果更為美好，這正是以合作取代競爭所帶來的正面效應。

　　如果人一直處在與人相互競爭的高壓狀態下，身心會很焦慮、緊繃、難以放鬆。一山總有一山高，強中自有強中手，我們若老是想著要跟別人比較、競爭，真是會沒完沒了，也為難了自己，讓自己受苦了。

　　別老愛和自己過不去，凡事都非得比別人強不可，就像故事裡的 Bob 一開始就是這樣不想被人比下去的心態。俗話說「人比人氣死人」，跟人比，只會越比越不開心而已，何不回來好好做自己，在自己喜歡的事情上盡情發揮，也在自己擅長的領域做出貢獻。大家各自把自己的生命活好活滿，各自美麗，各自精彩。無須比較，因為每個人都是

獨一無二的存在，都是天地間的無價寶藏，都很珍貴，這份珍貴是無法相互比較的。

我們各自在自己喜歡或擅長的領域翱翔，即便看起來似乎沒有進行實質的交流與合作，但每個人各發揮所長，都把自己能夠創造出來的各種良善美好，藉由不同的形式分享開來，這即是所謂的共創共好。共創共好，不一定非得大家聚在一起做點什麼，光是大家把自己活好，給出開朗明亮的能量，讓整個社會的氛圍祥和、有朝氣，就是在共同創造美麗家園了！

處於競爭思維下，就會有所謂的輸贏優劣，就會不斷有人心生被比下去的挫敗感與自我否定心理。如果能換個思維，大家都各自貢獻出屬害的部分，我能力無法勝任的地方，你幫我一把；我能力可及之處，我為你多做一點，彼此扶持，相互協助，這樣的世界是不是你我所心生嚮往的呢？也許你會覺得這想法太理想化，也許你會說烏托邦世界根本不存在，然而相信的力量是無比巨大的，如果有越來越多人願意相信我們的確可以以互助雙贏來取代廝殺競爭，這個世界就會慢慢浮現出我們心裡想望的那個美好畫面。

一切真的只需要毫不懷疑地相信。

A Drop of the Sea

作　　者 | Ingrid Chabbert
繪　　者 | Guridi
出版公司 | Kids Can Press

助他人圓夢，活在愛裡的我們也圓滿了自己

A Drop of the Sea

故事介紹

　　小男孩阿里和祖母住在一起。有一次阿里問年邁的祖母，是否心裡所有的夢想都實現了呢？祖母告訴阿里，她的夢想差不多都實現了，只差看海的願望還沒實現。祖母說，其實去看海至多也就是兩天的路程，但她卻一直延宕，沒有付諸行動。拖到現在她的雙腳孱弱、不堪行走，完全不允許她去實踐看海的夢想。聽祖母說完，阿里興起幫祖母完成夢想的念頭，他告訴祖母他要去海邊，把海水帶回來給祖母看。祖母阻止阿里，告訴他到海邊的路途遙遠，但阿里心意已決，不管多困難辛苦，他都要幫祖母帶些海水回來。

　　就這樣，阿里踏上尋海之路。他經過遼闊的沙漠，且在陌生的棕櫚樹下害怕地度過獨自一人的夜晚，終於看見祖母夢寐以求的大海！阿里讓平靜的海水親吻他因持續行走而疼痛的腳趾頭，很快地他想起祖母還

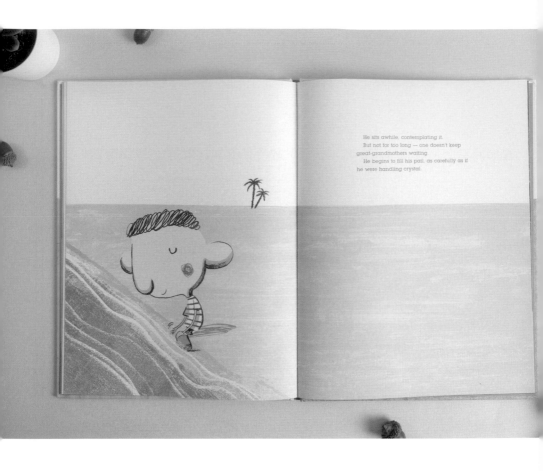

He sits awhile, contemplating it.
But not for too long — one doesn't keep
great-grandmothers waiting.
He begins to fill his pail, as carefully as if
he were handling crystal.

在家裡等著他呢！他急忙用帶來的小水桶，舀了一桶海水後，開始往回家的路前進。

　　幾天後阿里終於回到家，他把水桶裡的海水倒在祖母的手中，結果因為天氣乾熱，海水蒸發殆盡，滴到祖母手上的僅剩幾滴海水，然而祖母還是感動得哭了。阿里為祖母完成了心願，夜晚兩人在屋頂上聽著阿里一遍又一遍訴說著海水的模樣。

貞慧說說話

擁有夢想是最美的，倘若心裡有夢卻遲遲不去實踐，就怕走到人生盡頭回望此生時，會感到懊悔遺憾。故事裡的祖母就是一直延遲想要去看海的心願，到後來雙腳已無力行走，離看海的夢想也就漸行漸遠了……

我們總以為還有時間，有些事情可以再等一等，以後再做還來得及，然而沒有人能預料下一秒會發生什麼事。與其徒留悔恨，不如及時熱切地擁抱夢想，將內心的想望化為行動。即使夢想最終未能成就，但說不定在努力追夢的歷程中，看見的風景與邂逅的人會比原先設定的夢想更為動人精彩。

故事裡的祖母很幸運地擁有阿里這個貼心、善解人意的孫子，他聽了祖母的願望後，下定決心為心愛的祖母勇往直前，穿越廣闊沙漠，到遙遠的地方去尋找大海，可見祖孫之情萬般深厚。小小年紀的阿里為了幫祖母圓夢，勇敢踏上尋海的冒險旅途，這份心意著實令人動容。

現代社會許多父母為了掙錢，無奈將照顧孩子的職責交給祖父母，祖父母暫代父母職，隔代教養的情形非常普遍，我們常聽到有人形容自己是「孫仔兒」。與祖父母長期朝夕相處，自然祖孫之間的情誼更勝於與親生父母之間的感情。也許正因為祖父母給予豐足、源源不絕、不求回報的愛，讓不少被祖父母養大的人深感祖父母才是自己心中最柔軟、最感念的那一塊。

記得多年前，美國曾經發生一段感人的友誼故事。兩個高中生是死黨，其中一個沒有雙腳，行動需要靠輪椅輔助，然而他有個心願是環遊世界。知曉身障好友的心願後，另一位死黨同學下定決心要幫他完成心願，於是他一路揹著身障好友，遊歷數個國家，上山下海，看遍古蹟和博物館。雖然路途艱辛，但這位同學絲毫不喊累、不叫苦。兩人一起旅行，雖然看似這位同學在幫身障好友完成環遊世界的心願，事實上他也為自己完成一個原先不在他人生規畫裡的壯遊體驗。如果我們有夢，不要深藏心底，何妨大聲說出來，當你越堅持你的夢想，並朝著夢想前進，一定會遇上願意也有能力協助你完成夢想的貴人。

　　阿里穿越沙漠，從海邊一路奔回家，帶回來的海水雖因高溫而蒸發，水桶裡最後只剩下一兩滴海水，但祖母看到、摸到海水時，感動得掉下淚來，那是滿足的眼淚，亦是感激阿里的淚水。能讓祖母開心，是阿里的心願，此刻阿里的心在飛揚。阿里的心情，此刻的我頗能體會。我的父母日漸年邁，飽受疾病纏身的他們，笑容越來越少，能做點什麼讓他們感到開心的，即便累一點，我都樂意去做，只希望盡己力回報父母的生養之恩。因為愛，一切都甘願做、歡喜受。

　　在助人圓夢的同時，我們也活在愛裡，圓滿了自己。

The Crow and the Peacock

作　　者｜Jo Fernihough
繪　　者｜Jo Fernihough
出版公司｜Eerdmans Books for Young Readers

16

放下比較心，珍惜現下所擁有

The Crow and the Peacock

故事介紹

　　樹林裡住著一隻烏鴉，牠一直過著知足快樂的生活，直到有一天，牠遇見了白鴿。烏鴉覺得在鴿子雪白、亮麗的外型面前，自己失色不少；而鴿子柔和的鳴叫聲，也比自己的嘎嘎叫聲好聽多了。烏鴉羨慕地對白鴿說，白鴿一定是世界上最快樂的鳥。

　　然而，白鴿告訴烏鴉，牠本來也覺得自己很快樂，直到牠聽見夜鶯美妙的聲音，頓時感到自己的叫聲實在平凡無奇，牠認為夜鶯才是世界上最快樂的鳥。於是，烏鴉又飛去找夜鶯，夜鶯卻說，公雞的叫聲響亮，公雞應該才是鳥類中位居快樂排行榜之首。就這樣，烏鴉不管去找誰，牠們都不覺得自己夠好，也不認為自己稱得上最快樂，每一種鳥都有欣羨的對象，就連有著華麗搶眼羽毛的孔雀亦然。

　　明明孔雀身上擁有宛如七彩寶石的羽毛，為什麼牠還是不開心呢？

孔雀嘆了口氣對烏鴉說，牠的確曾經自認是最快樂的鳥，然而卻被國王抓捕，關在籠裡，供人類觀賞，從此失去自由。被圈養在籠子裡的牠，每當看見烏鴉在天空自由自在飛翔，就好希望自己可以變成烏鴉，牠認為烏鴉才是世界上最最快樂的鳥！

孔雀的這番話讓烏鴉有所領悟，牠對自身擁有的，感到滿足。自此之後，牠開心地過日子，也用牠能力可及的方式，分享快樂給他人。（大家可以在繪本最後一頁插畫看見，烏鴉做了什麼事來分享牠的快樂喲！）

生活裡我們時不時會聽到「人比人氣死人」這句話，雖明知「比較」容易帶給自己負面感受與能量，可是我們好像還是免不了會互相比較，吃著自己盤中的食物，眼中卻看著別人盤裡的菜，心生羨慕嫉妒恨，開始對自己的現狀不滿足，也變得不快樂。

現今街頭醫美診所林立，可見有不少人，無論男女，都是處在不滿自己身體樣態的情況下。女人看見別的女人胸部比自己大一兩個罩杯，欣羨之下變得對自己的體態不滿意而求助於醫學美容。如果改變之後變得快樂還好，就怕人的欲求永無止盡，罩杯升級後，又想讓鼻樑變挺，又希望抽脂瘦身，走火入魔地不斷求助醫美，結果可能因此讓自己原先健康的身體遭受傷害，甚至賠上寶貴的性命。

另外，我們也容易羨慕住豪宅的人，羨慕他們家事有傭人做，座車有司機開；反觀自己的住處卻是侷促擁擠，而家人之間總是吵吵鬧鬧，家事也老做不完，開的又是一點也不時髦的二手車，越想越不開心，想變成有錢人的欲望攀升，然後砸有限的錢去買彩券，或是炒作自己不熟稔的股票，看有沒有機會鹹魚翻身，一夕致富。如果財運不佳，不但無法成為有錢人住進豪宅，更可能欠下一屁股債，害慘自己，也連累家人。

其實，每個人都會遭遇艱難，都有自己的生命課題要面對，即便是那些擁有財富、權勢、美貌的人，在看似亮麗、意氣風發的背後，亦有著不為人知的難處。有傲人胸部，看似令人欣羨，但胸部太大可能對身體造成傷害，例如駝背、脊椎側彎等，有時甚至必須進行縮胸手術。而

家財萬貫、擁有豪宅者，可能事業太大、工作太忙，大部分時間都在世界各地飛來飛去，下榻飯店或在飛機上過夜的比例反而遠遠高過住在自家豪宅中，結果豪宅反倒變成傭人或是照顧家中病患的看護在住。故事裡的烏鴉，看到孔雀擁有華麗羽色，羨慕不已，覺得孔雀簡直是勝利組的極致，直到孔雀訴說自己失去自由的苦處，烏鴉才驚覺，自己也擁有孔雀所羨慕的東西，那就是不被束縛、自由自在的生活。

我們對自己所擁有的，感到不滿足，覺得別人是因為擁有我們所缺乏的，才會比我們幸福快樂。其實我們只看到很片面、很表象的東西，也許我們羨慕的對象，也暗地羨慕著我們呢！不斷與人比較，眼裡總是看向我們所欠缺的，心裡總是想著我們得不到的，結果只會讓自己更加不快樂而已。我們可不可以回來看看自己擁有的，對自己目前擁有的一切心存感謝並深深珍惜，而不是一直專注於自己所匱乏的事物上？

人要快樂其實很簡單，不要老是與他人比較，為難了自己；回來細數自己領受的種種恩典，我們都可以過得知足歡喜。

延伸閱讀

The Ramble Shamble Children
作　　者：Christina Soontornvat
繪　　者：Lauren Castillo
出版公司：Nancy Paulsen Books

這個故事描述五個孩子住在一間簡陋的屋子裡，但擁有他們所需要的一切，最重要的是，他們擁有彼此。然而，有一天他們在閣樓裡找到一本書，書裡面的房子圖片好漂亮、好完美，讓他們起了比較、羨慕之心，決定將屋子進行大改造，卻發現結果並非他們所期待的……

Under the Umbrella

作　者	|	Catherine Buquet
繪　者	|	Marion Arbona
出版公司	|	Pajama Press Inc.

主動釋出善意，
為自己和他人帶來內心的溫暖

Under the Umbrella

故事介紹

　　在天色昏暗的風雨中，一名男士著急地趕路，嘴裡不停地嘟囔抱怨著。前往目的地的路上，熙來攘往的人們撐著傘，阻礙了他前進的速度。天氣又濕又冷，加上遲到，讓他覺得一切真是糟到不能再糟了。傘下的他，完全笑不出來，板著一張臭臉，滿腹怨言與牢騷。

　　突然一陣強風襲來，男士不小心絆了一跤，手中的傘被吹走，吹到了一個站在甜點店櫥窗前的小男孩腳邊，小男孩正被那些看起來漂亮可口的糕點給吸引！他幫男士撿起雨傘，男士含糊地對他說了聲謝謝。後來，他聽見小男孩看著櫥窗裡的甜點發出讚嘆聲，男士禁不住隨著男孩的目光，也往甜點展示櫃的方向看去。

He growled at the clouds
and at the crowds
that slowed him down.

　　男士遲疑了一下，隨即走進甜點店，然後笑著提了個紙袋走出來，男孩的眼睛欣喜地閃閃發亮！男士將手裡的蛋糕送給小男孩，小男孩接過紙袋後，拿出蛋糕，把蛋糕剝成兩半，將其中一半比較大塊的蛋糕遞給男士。此刻，在雨傘下，時間靜止了，周遭雖依舊風雨交加，行人摩肩接踵，然而這些都不重要了。男士與小男孩這兩個忘年之交，快樂地品嚐蛋糕的甜美滋味，傘下的這一個瞬間，是一片明朗的天氣晴。

貞慧說說話

　　這個故事是不是很溫馨呢？一小塊美味蛋糕，不僅滿足了小男孩對甜點的渴望，也療癒了男士原先被壞天氣挑起的壞心情，更牽起了兩個忘年之交的友誼。

　　處在大人世界的我們，面對的人事複雜，思考也變得複雜，且好似轉個不停的陀螺，鎮日忙碌，一刻不得閒。匆忙的生活節奏、處理不完的待辦清單，讓人容易動不動便焦躁不堪，甚至產生憤怒的情緒。人際間的疏離感擴大加深，周遭環境充滿負能量，「純真」離我們越來越遠。大家只專注在自己的工作與生活，忽略擦身而過的有緣人。故事裡男士和小男孩相遇的情誼，令人覺得格外美好可貴。

　　這個故事提醒我們反思，我們是不是習慣性地忍不住要抱怨各種事物，抱怨天氣不好，抱怨食物不如預期美味。外界的諸多狀況，都讓我們感到莫名的惱怒。當一個人的心情不平靜、不美麗，就會開始怪東怪西，怪雨天出門不便，怪道路不平整，怪別人這個不好那個也不好，就像時下流行的一句話：「一切都是 they 的錯」，千錯萬錯都是他人的錯，真的是這樣嗎？難道我們過得好不好，是別人該擔負的？我們不是自己生命的主人嗎？是不是該拿回讓自己內心快樂平靜的主導權？

　　其實，快樂之道無他，如果能在乎自己少一點，關懷他人多一點，我們都可以過得比現在更快樂。就像故事裡的那位男士，原先只專注自己上班快遲到這件事，然而在小男孩幫他撿起雨傘時，他感受到孩子的純真善良。小男孩看似微不足道的善心、善舉，讓男士忘卻大雨帶來的不便，和上班快遲到的事實，而在他看到小男孩渴望櫥窗裡漂亮又好吃

的蛋糕，他甚至買下一小塊蛋糕送給孩子。難能可貴的是，小男孩沒有獨享，他把蛋糕分成兩塊，把較大的一塊送給男士，兩人一同在傘下品嚐蛋糕的美味。故事最後的傘下畫面，色彩明亮，反映了他們倆愉悅、美麗的心情。

小男孩和男士相互給出溫暖善意，彼此都因為這美好的相遇，在那個當下感受到幸福的滋味。很多時候，我們之所以過得不開心，是因為太過把焦點放在自己身上，老覺得外在的人事都在跟自己作對，如果一直持有這種心態，看什麼事情都會不順眼，心裡充滿負能量，這樣活著多辛苦啊！何妨打開心胸，主動伸出雙手幫助他人，與他人進行正向、友好的交流，就像故事裡的男士感受到小男孩的純真善良，他的心被打開了，也回報以溫暖情意。人與人之間能這樣彼此給予正向支持，會是安定、平靜心靈很大的力量。

鮮少有人可以真正做到遺世而獨居，我自覺是個頗能享受獨處樂趣之人。然而，我發現能夠帶給我真正快樂滿足的，還是來自人與人之間，無論是和親密家人好友，或是與萍水相逢的陌生人，彼此真心、正向、相互鼓勵支撐的情感連結。

當我們太在乎自己，陷在自己的問題當中，感到憤怒、悲傷時，試著把眼光移至他人身上，主動釋出善意去溫暖他人心房吧！當我們把重心稍稍從自己轉移到他人身上，或許會比較能夠放下心中那些讓自己痛苦煎熬的執念。付出，其實是收穫；利他，其實是利己。為他人做點什麼、帶給他人溫暖的同時，我們也得著了心靈的平和踏實。

Bear's Scare

作　　者｜Jacob Grant
繪　　者｜Jacob Grant
出版公司｜Bloomsbury Children Books

18

不要太苛求完美，
保持彈性，還心輕盈自在

Bear's Scare

故事介紹

　　大熊非常注重細節，凡事都要確保符合牠設立的標準。例如，確保房子裡各個角落乾乾淨淨、一塵不染，確保家具、物品擺放得整整齊齊、有條不紊，牠真的極其用心在照料牠的居住空間。

　　大熊有個非常要好的朋友，就是和牠形影不離的泰迪熊亨利，大熊對亨利的照顧，更是無微不至。

　　有天，大熊一如往常地在屋內打掃時，看見地上有一本書，大熊從不會把書遺放在地上的。當牠把書本拿起來近看時，竟然發現上頭有蜘蛛絲，這可不得了，有蜘蛛絲表示有蜘蛛，大熊深怕蜘蛛會把房子弄得髒兮兮、亂七八糟，於是失心瘋地翻找蜘蛛的藏身之處。在翻箱倒櫃之

際，大熊不小心把泰迪熊亨利的一隻手臂扯斷了，這讓大熊心疼難過不已！牠趕忙跑去找急救箱，希望能夠修補好亨利的手臂。沒想到，牠找到急救箱，回到亨利身邊時，看見黏稠的蜘蛛絲已把亨利斷掉的手臂接起來了。在書堆間，大熊終於和先前一直找不到蹤跡的小蜘蛛見著了面。從此大熊不再介意家裡有蜘蛛和蜘蛛絲，相反地，牠很開心多了蜘蛛這位好朋友呢！

貞慧說說話

小蜘蛛這意外的訪客，一開始讓愛乾淨、重整潔的大熊非常介意，對大熊來說，蜘蛛是髒亂的表徵，這完全超出牠可以忍受的範圍。不過後來蜘蛛拯救了泰迪熊亨利斷成兩半的手臂，讓大熊對蜘蛛的觀感起了正面變化，也讓大熊開始調整自己面對生活的態度。

大熊在環境整潔的部分，原本毫無彈性可言，牠要求完美，絕不容許任何的髒污和雜亂。所以當牠看到蜘蛛絲的當下，可以想見是非常不能接受的。當我們做人處事沒有彈性時，日子真的會過得很辛苦。極度想要掌控一切，希望所有事情的發展都可以在自己預設的軌道上，不容許半點偏離。想法如此缺乏彈性，當事情不順己意時，不但心裡會產生抗拒、難過、怨恨等負能量，也會因為思考的僵化，讓一些新的人事物無法進到我們的內心。

當我們在某些事情上特別執著時，眼光會一直聚焦於此，一心盯著這些令我們在乎的東西，這會阻礙我們看見生命的其他可能性。當大熊發現小蜘蛛結的蜘蛛絲竟然可以幫牠把亨利的手臂修補好，牠感到十分驚嘆，也有著滿滿的感謝。後來牠見到小蜘蛛本尊時，原先對其抱有的負面且固著的想法鬆動了，不再那麼排斥小蜘蛛，因為牠發現自己之前對蜘蛛的觀感太過偏狹、有失公允，其實蜘蛛也有牠可愛美好的地方。

當我們放下執念，新的東西才可能進入到我們的生命裡。就像大熊後來接受了小蜘蛛，願意和小蜘蛛一起生活，這讓大熊不只交到了新朋友，也因為放下了對環境清潔的高規格要求，卸下了長期以來給自己製造的心理負擔，生活更加輕鬆自由。

這故事也讓我想到我自己，我在某些部分也很容易掉入這樣缺乏彈性的泥沼中。每天一大早，我會先擬列出今日的待辦事項清單，然後我一整天的思緒就會聚焦在這些待完成的事項上，希望可以順利、有效率地逐一完成。可是，我發現當我的腦子裡塞滿了待辦事項，我便看不到其他的機會和可能性。擔憂、掛心好多事情還沒做完的緊繃心情，讓我沒辦法抬頭去看見周遭人事物的可愛美好，也阻礙了自己與家人、朋友和同事之間開啟多一些的對話交流與情感連結。

　　近來，我做了心態上的調整，不再每天要求自己有多少產能，開始為原本落落長、根本做不完的待辦清單進行「瘦身」。我告訴自己，不要老是埋頭處理待辦事項，倒是該經常從繁忙的事務中抽身，與他人有所互動。有時候在看似輕鬆閒聊的過程裡，反倒容易激盪出意想不到的創意靈感；或是原本可能自己困在某個問題裡，苦惱著不知如何解決，透過與他人對話，搞不好對方言談中給出的想法，便提供了問題解套的可能性。

　　我後來認清到，事情真的不會越做越少，既然事情永遠做不完，那何妨放緩前進的腳步。人生就是該好好享受當下的每一刻，如果我的心裡老是掛念著那一大串怎麼做也無法完結的待辦事項，我恐將一再錯過這一生可以體驗到的諸多美好時光。

　　願你我對人、對事，都可以學習放下對完美的追求，保持想法上的彈性，還心輕盈自在，也讓更多的可能性有機會進到生命裡來。

A Very Late Story

作　者	Marianna Coppo
繪　者	Marianna Coppo
出版公司	Flying Eye Books

與其被動等待，不如主動創造

A Very Late Story

故事介紹

　　一張白紙上出現幾隻動物，他們是故事的角色，但故事只有角色，沒有情節，這個故事該如何推展呢？於是這幾隻動物一直留在原地等待故事送達，然而過了許久，都沒有等到有人送故事情節來。

　　當大家什麼都不做，靜靜等待故事情節來到他們身邊時，只有兔子不一樣，牠邀請大家一起玩遊戲，可是其他動物都拒絕了，牠們告訴兔子，大家正忙著等待故事送達呢！哪有時間玩耍！

　　兔子見其他動物都不想加入牠的遊戲行列，便自己獨自玩了起來，牠拿起畫筆，開始把腦海裡想到的畫面勾勒在空白紙上，有大樹、鳥兒、樹屋、恐龍、鞦韆……。此時，繪本內頁的背景畫面不再空白一片，在兔子畫筆的揮灑之下，逐漸變得生動熱鬧且五彩繽紛。

　　兔子主動創造故事情節的舉動，也影響其他被動等待故事到來的動物們，牠們終於紛紛加入兔子創作出來的故事裡，玩得既投入且開心。

　　後來郵差終於送來了故事情節，動物們卻說：「我們已經有自己的故事了。」並邀請郵差坐下來聽聽牠們創作的故事。

貞慧說說話

　　故事裡的兔子真是優秀的領導人才，牠以身作則，帶頭示範，讓其他動物知道「與其被動等待，不如主動創造」，動物們不再癡心枯等故事的到來，相反地，他們化被動為主動，投身創造屬於自己的故事，而且過程中心境是滿足的、開心的。

　　我們是否計算過，人生旅途上，自己曾花費多少時間在被動等待某件事情的發生，或某個人的出現？有些人行事積極，會主動追求自己想要的目標；有些人則較為消極害羞，總是被動等待內心殷殷期盼的人事物會自動來到眼前。可惜，時常事與願違，幸運鮮少從天而降。如果心裡對未來有著什麼樣的盼望，總該採取行動為自己做點什麼吧？別人沒有義務為我們送上幸福，自己想要的幸福，就該主動去創造、追求。

　　比方說，有人覺得這個社會一團糟，然而除了非理性的叫囂、謾罵、批評外，卻給不出任何一丁點的正面建議與貢獻。如果我們希望這個社會有一些改變，我們可以化口頭批判為實際行動，成為那個投入改變的人，主動去創造我們理想中的家園樣貌，而不是帶著厭世或憤世嫉俗的心態去看待周遭世界，這樣不僅弄得自己不開心，這個社會也絕對不會因為我們的厭世或憤世而變得更好。

　　又好比來到一家公司工作，如果這個工作場域無法帶給你愉快的感受，與其被動等待工作環境變好，不如從自身做起，嘗試去改變所處的工作環境，或者改變自己的心理狀態，用一種比較陽光、正向的態度去面對工作。如果職場環境真的很差，真的待不下去了，也沒有非得死守在同一個工作位置的道理。勇敢地從原本的工作出走，另尋他路，去創

造自己會喜歡的工作樣貌。想起一部由威爾史密斯主演的電影《當幸福來敲門》（The Pursuit of Happyness），劇中威爾史密斯在面對生活的困窘，一窮二白之際，他採取的不是被動等待他人施捨或奇蹟發生，而是積極主動去證券公司擔任實習生，利用自己的數學長才，成功爭取到多位客戶，為客戶賺了錢，也解決自己的經濟危機，創造了他與家人的幸福。這就是主動創造改變的好例子。

此外，從這個故事來看男女對情感的追求，其實也是一樣的道理。與其被動等待真命天子（天女）的出現，在遲遲未能如願的時候，怨嘆「我條件這麼好，為什麼都沒有人愛我？」倒不如自己主動創造幸福，讓幸福有更多成真的機會。創造幸福，並不是把自己打扮得花枝招展，藉由光鮮亮麗的外表去吸引異性的注意，而是先照顧好自己的身心靈，充實自己的內在，讓自己活得自信、開朗。當你自然而然地從內而外散發出光彩，將正向吸引那些與你處在相似心靈頻道的人來到你身邊，正所謂「花若盛開，蝴蝶自來。」這就是一種在男女情感追求上的主動創造。

我們也可以從這本繪本中看見，一個人的正向行為會感染、帶動其他人，讓大家一同朝美好的方向前進，形成一種良善的循環。故事裡的兔子扮演的便是這樣一個角色，牠不等別人送故事來，而是主動出擊，為自己創造故事、創造快樂，牠的行動同時也鼓舞了其他動物加入故事創作的行列中。

一個人的言語和行為都會向外產生或大或小、或正面或負面的影響力，祈願你我都能像故事裡的兔子，給出的影響是正面的、美好的，帶動身邊的人一起創造幸福，共同享受「創造」為生命帶來的富足豐饒。

Mole's Star

作　　者 | Britta Teckentrup
繪　　者 | Britta Teckentrup
出版公司 | Orchard Books

20

與人共享，勝過獨自占有

Mole's Star

故事介紹

鼴鼠長年居住在地底下，雖然牠喜歡自己舒適的家，不過漆黑的環境讓牠不免有時感到寂寞。每晚，鼴鼠會從洞穴鑽出頭來，坐在一塊牠最愛的岩石上頭，凝望著在夜空中閃爍的星光。

有天晚上，鼴鼠一如往常地坐在岩石上欣賞星光，牠看見一顆流星劃過，立刻閉上眼睛許願，希望能擁有全世界的星星。當牠睜開眼睛，舉目所見著實令人難以置信，附近出現無數個通往天空的階梯。鼴鼠不假思索，立刻爬上階梯，把天上的星星全都收集起來，帶回自己的洞穴。當天晚上鼴鼠的家充滿著閃亮亮的星光，牠好愛這樣的明亮，巴不得永遠待在這裡。

日子一天天過去，鼴鼠開始想念洞穴外牠最喜歡的那顆岩石。某天夜裡，牠從洞穴探出頭，卻發現天空什麼都沒有，只剩一片漆黑。

小鹿淚眼問大家星星去哪裡了？田鼠說，她唱搖籃曲時，孩子們喜歡仰望星空，現在星星全不見了，牠們一定會很傷心！狐狸也說，牠一向仰賴星光指引方向。鼴鼠聽完大家的話，心裡感覺糟透了，牠原先不知道大家都跟牠一樣喜歡星星。

牠羞愧地急忙跑開，躲到樹林裡。在樹林深處，鼴鼠看到水坑中有顆黯淡無光的星星，牠心想這會是之前那顆讓牠願望成真的流星嗎？牠閉上眼睛，再次對著它許願，希望自己從未拿走天上的星星。這時，通往天空的階梯又出現了，鼴鼠毫不遲疑地跑回去向動物們道歉，坦承星星之所以會不見，是因為牠全拿回家私藏了。動物們原諒了真心悔過的鼴鼠，並幫牠把星星一顆顆放回天上去。最後，鼴鼠把那顆特別的流星放在牠最愛的岩石上方，從此，森林裡所有的動物再度可以共同享有閃閃發光的夜空。

貞慧說說話

　　故事裡的森林就像是人類社會的縮影，而在將星星據為己有的鼯鼠身上，我們也看到了人類會想要私心占有某些喜歡的人事物的心態。然而，占有越多東西不見得越快樂，不是有句話說：「獨樂樂不如眾樂樂」嗎？這句話能夠流傳這麼久，必有其道理。

　　故事裡的鼯鼠許願，想擁有天上的星星，結果牠真的美夢成真，得到了星星。牠把全部的星星都摘回地洞裡，內心無比滿足歡喜。能夠擁有夢寐以求的東西，誰會不開心呢？這是人之常情。但是我們經常忽略其他人也擁有相同的渴望和需求。因為自己想要獨自占有，卻讓其他人的享有權遭到剝奪。當你處在他人都悶悶不樂，只有自己滿足快樂的情況下，這種快樂恐怕無法恆久持續，因為人與人或人與萬物之間是彼此互相影響的。

　　果然，後來其他動物發現星星不見了，牠們的生活和心靈都受到影響，除了造成一些動物的不方便，還讓喜歡星星的動物們感到傷心和失落。鼯鼠獨占了星星，反而傷害了其他的動物朋友。還好鼯鼠本性善良，也有自省能力，牠看到因為自己獨占了星星，讓其他動物不快樂之後，內心愧疚不已，再次許願把星星分享給大家。這個轉折對鼯鼠來說，也是很棒的成長經驗，讓牠從獨占的小確幸，擴展為與其他動物共享的大喜悅。

　　大自然不是你的，也不是我的，而是生存在地球上的萬物該共同享有的，這個故事給出溫柔深切的提醒：我們人類當與他種物種和平共處，認真看待其他生命的生存權，讓萬物都能在這顆美麗的星球上共存共榮。

　　我是繪本控，喜歡收集繪本。起初買到喜歡的繪本時，我總是帶著歡喜的心情，一本本把它們整齊地擺放在書櫃裡珍藏。後來累積的量越來越多，多到家裡沒有空間收納這些藏書，同時我也發現，這些書我可能看過一遍、兩遍後，就把它們束之高閣，鮮少會再有機會拿出來翻閱。

　　後來想想，這樣的收藏其實也是一種戀物癖，我就只是把它們收藏起來，都沒有想過應該讓它們物盡其用。這些書就這樣存放多年後開始頁面變得泛黃，看了令人心疼！後來我改變了想法，與其讓這些書被我一人獨自擁有，倒不如拿到任教學校去，讓全校師生也都有機會閱讀這些好書。

於是我把自己部分的繪本收藏送給學校圖書室，與同事和學生共享這些資源，讓這些好書流通，有更多人可以閱讀，這應該也是這些書最好的歸屬。而我一點損失也沒有，做這些事我的內心沒有一點勉強，不為了得到誰的感謝或讚揚，就只是做自己覺得開心也有意義的事。

　　每個人都會有想要占有美麗事物的私心，這樣的心情可以理解，不過若能隨著年紀與智慧的增長，慢慢放下占有之心，轉而與他人一起分享美好的事物，這樣一來，不僅我們自身可以因為對事物的斷捨離，而感到心輕自在，也能讓這些事物發揮更大的價值，滋養、豐富更多人的心靈，這不是很美妙、很美妙的事嗎？

延伸閱讀

It's My Tree
作　　者：Olivier Tallec
繪　　者：Ollvler Tallec
出版公司：Kids Can Press

故事描述一隻貪婪的松鼠，將一棵樹占為己有，聲稱這是牠的樹，也認定從這棵樹上掉下來的松果全都是他的！

他疑神疑鬼地擔心別人會覬覦牠的樹，甚至還在樹的周圍築起高牆，不讓他人有機可乘。

有四面牆保護這棵樹，這下牠總放心了吧？沒想到松鼠貪心極了，在牆裡的牠，此刻竟然想著，會不會牆外有一整座滿滿都是松果的森林？牠心心念念的，就是想要占有更多的樹和松果！

貪婪的心、想要霸占的心，以為自己追尋的是幸福，其實這樣一顆無法平靜安定的心，是離幸福越來越遙遠了。

The Rough Patch

作　　者 | Brian Lies
繪　　者 | Brian Lies
出版公司 | Greenwillow Books / HarperCollins

21

讓時間與大自然療癒失去的痛苦，
而你也要順著內心的節奏慢慢走出來

The Rough Patch

故事介紹

　　狐狸伊凡和小狗總是形影不離，他們一起快樂地做著每件事，其中他們最愛做的事，是在伊凡的菜園裡栽種花草蔬果，一起整地、鋤草，一起豐收結實纍纍的瓜果。

　　有一天，意想不到的事情發生，小狗離世了！伊凡傷心欲絕！牠把小狗埋葬在菜園一隅。

　　遭受親密好夥伴小狗離世的重大打擊，伊凡封閉了自己。少了小狗的菜園，變成一處既痛苦又寂寞的地方。伊凡不願再見到沒有小狗身影穿梭的菜園，遂親手將曾經細心照料的美麗菜園毀掉！

　　後來菜園日漸雜草叢生，伊凡心想，既然這座菜園不再是快樂的地方，那就讓我來把它變成一處最悲傷也最荒涼的存在吧！於是牠將菜園

裡的樹木修剪成奇形怪狀，整個菜園充斥著灰暗陰森的氛圍。

然而，大自然有著神奇、不可思議的力量，即便在這樣一處澆灌著伊凡滿滿負情緒、負能量的地方，還是存在著盎然生機，南瓜藤正依著自己生長的節奏，慢慢長成它該有的樣子。

南瓜藤的出現帶給伊凡心境上的轉變，牠開始清除周遭的雜草，並為南瓜藤澆水，而南瓜藤也回應了伊凡的細心照料，結出一顆美麗的大南瓜。

伊凡開車載著大南瓜到鎮上參加南瓜大賽，和久違的朋友們相聚。之後南瓜大賽成績揭曉，伊凡的大南瓜獲得了銅牌獎，獎品是十塊錢美金或是挑選箱子裡的一條小狗。原本伊凡是要上台領十塊錢美金的，但是牠聽到箱子裡傳出聲音，他告訴自己，只是看一下應該沒事的……。

開車回家的路上，伊凡身邊多了一位成員，幸福的畫面再度浮現。

貞慧說說話

以往在台灣傳統社會，「死亡」是個忌諱的話題。隨著民風漸開，大多數民眾漸漸能跨過那條界線，談論生死議題。然而，談論歸談論，問題是我們真的做好準備了嗎？我們真的準備好隨時能夠接受心愛的人或寵物離世了嗎？

狐狸伊凡和好友小狗總是形影不離，這樣的幸福畫面令人欣羨與嚮往。我們總奢望幸福可以持續到天荒地老，然而，既是血肉之軀，總會有生老病死，只是大部分的人不願直視死亡，不斷地選擇拖延面對，直到死神轟然降臨，方才手足失措，落入幾近崩潰的巨人悲傷中。就像狐狸伊凡在面對小狗的離世，整個人陷溺在傷心欲絕、意志消沉的心理狀態之中，甚至親手毀掉往日牠與小狗一同用心栽植的菜園，讀者從作者書寫的文字和營造的插畫氛圍，定可感受到那種自暴自棄的椎心之痛。

這本繪本封底有段文字這麼寫著："A good place won't stay empty for long. Something must grow."（一塊福地是不會荒廢太久的，新的生命定會在此生長。）伊凡在菜園裡慢慢見證到大自然展現的無限生機，這帶給牠很大的撫慰與鼓舞，牠終於願意給自己機會走出來。從一開始的無法接受、怨恨老天不公平、消沉喪志度日，到從南瓜展現的蓬勃生命力得著力量，重啟了對生命的盼望與嚮往，再次投入照料南瓜，爾後開車載著大南瓜去參賽，重新展開與人的接觸與連結。伊凡的療傷歷程漸漸看到了曙光，牠爬出了人生低谷，也感謝宇宙賜予的豐盛，此時的牠遇見了生命裡的新夥伴，伊凡的人生即將開啟新的一頁。

面對親近且重要的他人離世，那種心情是未親身經歷過的人難以感同身受的。當我們周遭有人遭逢親友離世的巨變時，與其口頭上安慰：「請節哀，人死不能復生，不要太難過」之類的話，不如多花時間陪在他們身邊，聆聽他們訴說想說的話，「陪伴」就是最大的安慰與療癒。

　　面對生死，時間或許是最佳解藥。遇到重大變故所造成的內心傷痛，要當事人平常心看待，真的是太強人所難。總得經歷一段療傷的過程，不可能今天送走了誰，隔天就能立馬放下悲慟，重新振奮過生活，這樣太不自然也太勉強自己了！難過的時候，請允許自己悲傷，允許自己放肆流淚，不需要抗拒這樣的情緒，不必急著趕走悲傷，不用勉強自己要多快振作起來。給自己一點時間去沉澱、淡化悲傷，順著內心的節奏慢慢走出來，重新接觸人群，給自己機會展開新的關係和新的生活。

　　死亡是我們每個人早晚都會面對的，人生無常，我們不知道死亡什麼時候會降臨，此刻還好端端站在你面前的人，可能下一刻便遭逢變故，離開人世，一切都說不準。我們能做的，就是珍惜當下，好好去愛人，也細細感受被愛的滋味。心中有愛就要說出來，可千萬別以為你不說，別人就會懂得你的心意。再怎麼關係親密的人，都不可能時時透過心電感應交流情感。向你珍視的人及時道愛、道謝與道歉，會讓我們在必須說再見的時候，遺憾少一些，圓滿多一些。

　　這個故事也讓我們看到大自然的療癒力量，我們不可能一直活在人為科技的環境下，再怎麼科技發達，我們都還是需要大自然的滋養，包括新鮮空氣、陽光、山和水，對人類來說，這些都是非常重要的養分與能量。當我們遭遇困頓艱難時，向大自然尋求療癒吧，大自然裡永遠有我們需要的心靈解方。

Already a Butterfly

作　者	Julia Alvarez
繪　者	Raul Colon
出版公司	Christy Ottavian Books, Henry Hold and Company

22

一切本已具足，為什麼還要如此用力地向自己和他人證明些什麼呢？

Already a Butterfly

故事介紹

　　蝴蝶瑪莉展翅穿梭於花叢間，馬不停蹄地採集花蜜，幾乎沒有片刻停歇，牠應該是所有蝴蝶裡最為忙碌的了。

　　夜晚來臨，瑪莉可以感覺到牠翅膀的疼痛和心臟的快速跳動，牠一天下來肯定完成了不少工作。然而，這麼有生產力的瑪莉，日子過得快樂嗎？到了就寢時間，牠沒有入睡，還在想著數不盡的待辦事項。不知不覺，天色已亮，都還沒真正休息到呢！瑪莉又展開了忙碌的一天，牠完全沒有時間好好享受身為蝴蝶的樂趣。

　　瑪莉的父母生下近百隻蝴蝶。父親曾對孩子們說：依隨直覺，好好享受生命。但瑪莉不明白該怎麼做。有一天，當瑪麗停在一朵花上，牠的腳陷進花粉中，芬芳的氣味讓牠覺得好放鬆，牠好想回到先前被裹在

舒適的蛹裡的那段靜謐時光啊！這時候牠聽到一個聲音，往下一看，是一個即將綻放的花苞。

　　瑪莉問花苞叫什麼名字，花苞說它沒有名字，它只想享受做自己的快樂。這讓瑪莉憶起自己在蛹裡的日子，心想在蛹裡那段時間感受到的寧靜祥和，是不是就是花苞說的享受做自己的快樂？瑪莉向花苞傾吐牠的心情，牠對花苞說：我總是那麼忙碌和悲傷，尤其在我想起蛹中那段平靜歲月的時候。花苞告訴瑪莉，牠隨時都能回到內心深處那個寧靜的所在，也對瑪莉說，牠已經是一隻蝴蝶了，只要擺脫匆忙與擔憂，就能夠瞭解自己的本質。

　　花苞教瑪莉將念頭專注於呼吸。花苞的話語好似搖籃曲，但不是讓瑪莉感到昏昏欲睡的搖籃曲，而是喚醒瑪莉去覺察周遭的聲音、景色和氣味。花苞引導瑪莉：「吸氣，你已經是蝴蝶了。」「吐氣，你感覺很快樂。」瑪莉跟著做，不久，牠第一次感受到自己從頭到腳是隻不折不扣的蝴蝶。起飛離開前，瑪莉彎下身子想向花苞道謝，但花苞不見了，取而代之的，是一朵盛開的美麗百合。

貞慧說說話

　　這是個發人深省、非常適合大人細細品讀的故事。尤其在我人生走到五十知天命的現階段，這個故事頗觸動我，也讓我十分有感。

　　故事裡的蝴蝶整天忙著做牠覺得該做的事，總是不得閒，也不懂得停下腳步欣賞周遭事物的美好。從好的方面想，像蝴蝶這樣的人真的非常努力在過生活，是個力爭上游、一心想把自己的生命活好活滿的人。不過，換個角度思考，如此用力地活著，沒有給自己喘息放空的機會，這樣的生命型態真的是圓滿的嗎？就像花苞對蝴蝶說：「你已經是蝴蝶了。」就如同我已經是我，我無須拚命向外證明我是誰。也許年輕的時候，我們會汲汲營營，想要努力向世界證明我們的能耐與才華，也是透過這樣的證明，我們從中尋求自我價值的實踐。然而，走過那一段熱切想要外界認可的歷程後，我們有沒有可能回來問自己，什麼才是生命中既踏實又深刻的幸福與平安？

　　最近有部動畫電影《靈魂急轉彎》（Soul），主角非常努力地想要向外證明自己的鋼琴造詣，他不想錯失那關鍵的演出機會，歷經千辛萬苦的轉折，他終於如願以償，在眾人面前展現非常精彩的演出。演出結束後，很奇怪地，他心裡並沒有因為演出成功而感受到滿滿的喜悅，反倒頓時浮現一種「夢想成真的感覺就這樣而已？然後呢？」的空虛感。他等這一天等了好久好久，以為一切會變得不同，但是發現好像也沒有什麼不一樣。

　　看到這一幕，我深有感觸，想到自己也經歷類似的過程，很努力地想要被看見、很拚命地想要實踐夢想。也曾在夢想實現後問自己：「然

後呢？難道人生就是要不斷地設定目標、不停地向外求取嗎？一個目標達成了，就要再設立下一個追尋的目標，一輩子毫不停歇、永無止盡地追求嗎？」

這本繪本頗能呼應這些日子以來我心境上的轉變，從不斷向外追求，用盡力氣地想向自己和他人證明些什麼，到現在慢慢回歸自我內心的探求。就像這本繪本的書名所說的：Already a Butterfly，我已經是我，我一切具足，我光是存在便已足夠美好，何須汲汲向外界證明什麼，外人不懂我又如何，重要的是我有沒有愛自己？有沒有全然接納自己真實的樣貌？有沒有在每一個當下擁抱快樂、自由與平靜？

《靈魂急轉彎》的主角後來體悟到，原來「夢想的追尋與實現」並非人生的火花，人生美麗的火花其實來自許多看似微不足道的日常美好瞬間：享受活著的每一刻，享受陽光、享受微風輕拂、享受與人交會的溫暖。

我想，這並不是說實踐夢想不重要，我們總是在人生歷程中不斷學習與領悟，總是要經過夢想實踐的過程，才會走到另一層次的覺察：「原來，活在當下，用心去體會、感受每一瞬間的難能可貴，才是我這一生該去把握與珍惜的。」

親愛的，讓我們每天抱抱自己，輕聲地對自己說：I'm already a butterfly. 我們生來就是美麗的存在，一切本已具足，如同樹是樹、花是花，大自然的一切皆安然存在著，未曾熱切地想要向外界宣告什麼，我們是不是也可以如是安在，我就是我，你就是你，在吐納之間單純享受此時此刻？即便不是每一刻都是開心的、美好的，又何妨呢？就是盡情地去體會生命的一切吧！ Seize the day!

深深祝福親愛的你、親愛的我。

Most Days

作　　者 | Michael Leannah
繪　　者 | Megan Elizabeth Baratta
出版公司 | Tilbury House Publishers

23

用心覺察尋常生活的細微處，
珍惜活著的此時此刻

Most Days

故事介紹

　　跟大多數口了一樣平凡無奇的一天，人們重複著相同的生活行程，早上起床、刷牙、洗臉、換衣服、吃早餐、出門上班或上學。傍晚，下班或放學回到家，全家人聚在一起吃晚飯、聊天。到了夜晚就寢時間，家人彼此互道晚安入眠。隔天太陽升起，大家又周而復始地做著和前一天同樣的事。這看似流水帳、再平凡不過的日常小事，究竟有何特殊之處值得作者將之寫成一本書？

　　這看似平凡至極的小日子，其實若用心覺察，就會在細微處看見暗藏的驚奇與美好呢！像是膚色黝黑的男孩站在落地鏡前換衣服時，發現自己又比昨天長大了一點點；而置放於窗台的盆栽，今天多長出了一片新葉。戶外風景看似一如往常，草叢間卻結出一張蜘蛛網，是前一天所

The world puts on a
show, as it does every day.

A man plays a saxophone on a porch.
The bakery on the corner fills the air with the aroma of fresh bread.
Trucks rumble. Bulldozers roar.

沒有的。看起來像是不斷反覆上演同樣戲碼的每一天,實則在許多微小處悄然產生著變化,你注意到了嗎?

即便是空氣也是流動不止的,今日我們呼吸到的空氣絕對和昨日的不同,昨日的空氣已被風帶到遙遠的他方。一年四季也各自展現不同的樣貌與風情。世界不停地在變動,而我們每個人的外貌與內心也同樣不停地在發生改變。這些變化常因人們的生活節奏太快、太緊湊,而被輕易地忽略了。若能試著在忙碌生活中放緩腳步,多花心思注意周遭,就會發現,平凡日子裡有著許多不平凡的美好小事正在發生,而這些小確幸都會成為我們心底美麗的記憶,如夜空繁星般閃閃發光!

貞慧說說話

　　我們生活著的每一天看似乏善可陳、一成不變，沒有特別精彩、令人為之驚嘆或怦然心動之處，然而真是如此嗎？

　　這本書的作者用其敏銳細膩的心與眼，帶領我們看見每天看似重複的生活內容中，其實都有新的東西出現。就像我們每回抬起頭看到的雲朵都是一樣的嗎？當然不是！風在流動，大氣在流動，雲在流動，大自然的一切無時無刻都在起著變化，沒有一刻是靜止的，我們的生活亦是如此啊，沒有哪一天是長得一模一樣的。

　　許多人在年輕的時候，會懷著浪漫情懷，覺得人生就這麼一回，要轟轟烈烈地過。然而，轟轟烈烈看似生命過得精彩燦爛，但代價可能是情感起起落落，或遭逢不容易面對處理的艱難困頓。我們一般人大概不會希望活得如此高潮迭起、水裡來火裡去，這樣太辛苦了，心臟得要很強才行。

　　我們多數人恐怕都不想日子過得驚天動地、跌宕起伏，但又嫌生活過得太平淡無奇、無滋無味。其實尋常日子也可以過得饒富樂趣與滋味，端看我們是否願意敞開心胸，帶著對周遭人事物好奇的眼光，去看見每天呈現在細微處的小小亮光。那動人的亮光可能出現在：津津有味、幸福地吃著家庭成員以愛為佐料細心烹調的菜餚；全然放下手邊工作，與家人愉快的聊天，或是一起觀賞電視節目放鬆得哈哈大笑；與他人相互拍肩、擁抱，以眼神傳遞對彼此的關懷。這些日常人與人之間溫暖的交流，即是幸福的泉源。「幸福」不在他方，也無須做什麼轟轟烈烈的大事，小日子裡積累的幸福，點點滴滴都踏實，我想這也是這本繪

本想要傳達的既珍貴又美好的訊息：「活在當下！」

　　生活何妨簡單過，不用想得太複雜，無須焦慮未來，因為未來有太多我們無法掌控也難以預料的事，過度煩憂並無法解決問題。同時也要試著放下曾經有過的傷痛，不要讓那些心靈的舊傷反覆攪亂我們此刻的平靜。也無須眷戀以往曾經擁抱過的美好，過去無論好的壞的，都已離我們遠去，我們能夠抓在手上的，真的就只有「當下」而已。

　　願你我都能珍視每個小日子，好好給出愛與接受愛，也讓自己時常有與大自然連結的機會，讓大自然盎然的生機療癒、滋養我們的身心靈。也別忘持續熱愛生命，用心學習，不斷成長。我們不必把成長的目標設定得太高遠，老老實實地一步一腳印，把每一天過好，在目前現有的工作與生活型態下充實自身，相信隔一段時間再回望這一路走過的歷程，就會看見自己有著長足的進步與明顯的提升，心裡也將因此感到踏實富足。這種面對生命的態度，會是我們送給自己最棒、最美妙的一份禮物了！

延伸閱讀

Most People
作　　者：Michael Leannah
繪　　者：Jennifer E. Morris
出版公司：Tilbury House Publishers

本書作者的另一作品《Most People》，則是傳遞「善良人心」的溫暖繪本，一併推薦大家閱讀。雖然這世間的確有不好的人做著不好的事，但大部分的人都還是心懷善念、做著良善的事，願我們永遠不要失去對世界的美好想像與盼望。

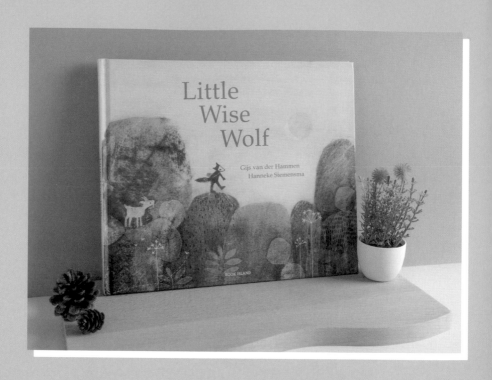

Little Wise Wolf

作　　者	Gijs van der Hammen
繪　　者	Hanneke Siemensma
出 版 公 司	Book Island
中文版書名	聰明的小狼（字畝文化 出版）

你擁有的是知識還是智慧？

Little Wise Wolf

故事介紹

　　森林裡，有隻飽覽群書的小狼，上知天文、下知地理，還發現了好多顆從不曾被注意到的新星，牠也知曉各種藥草，動物們都覺得牠非常厲害，稱牠是「聰明的小狼」。每每遇到問題，動物們都會來請教牠。可是小狼自視甚高，且整個人完全沉浸在知識的自我探求中，對於來請益的動物，一概緊閉心扉、拒絕回答。

　　有天，烏鴉捎來獅子國王的信，原來是國王生病了，希望小狼到城堡為國王治病。小狼說牠沒時間，牠手上還有厚厚的書要讀，還有植物和星星要研究，不過這是國王的命令，不能違抗，所以隔天早上，牠打包了旅途中會需要用到的東西，便上路了。

　　小狼騎著單車出發，動物們得知此事後，掛念小狼沿途不知道會不

會需要牠們的幫忙。路途漫長，小狼翻山越嶺往前行。途中，不僅遇上大雨傾盆，夜晚降臨時，牠又冷又餓，雙腳也因長時間走路而疼痛著，甚至還迷了路。小狼開始想，也許牠一點都不像其他動物以為的那麼有智慧，也許其他人來治療國王的病，會更有幫助。突然，牠看見遠處有微光，那裡有帳篷、營火和一鍋湯，這些東西幫助牠睡了一夜的好覺。隔天醒來，小狼發現，原來這一切都是森林裡的動物默默幫的忙。

　　小狼終於抵達國王的城堡，牠使用一種只有牠知道的藥草為國王治病，沒多久，國王痊癒了。國王希望把小狼留在城堡，但小狼婉拒了，牠迫不及待想回到森林，回到幫助牠的朋友身邊。從此，小狼不再以忙碌為理由，拒絕其他動物的造訪，不過牠並沒有因為這樣，書就讀得比以前少，且還是一如往常般不斷發現新的植物和星星。

貞慧說說話

　　對故事裡的小狼來說，一趟看似為獅子國王治病的旅程，事實上是為自己帶來正向心靈轉化的過程。小狼後來醒悟到，從書本裡學到的知識並非生命的全部，很多人生智慧必須在書本以外的真實世界去驗證、感受、體會。

　　書籍是為我們打開視野、豐富知識、提升心靈能量很重要的媒介，讀萬卷書的確可以帶我們看到更多元廣闊的世界。然而如果一味沉浸在書中世界，雖然可以不斷從中增長知識，但知識量的累積，不必然對智慧的增長有所幫助。「知識」不等同於「智慧」，要獲得智慧，不能僅靠讀書，書上的東西若沒有與真實生活相互印證、連結，知識就很難轉化為智慧，引領我們走向更圓滿豐盛的心靈境界。

　　小狼愛讀書是好事，問題是牠太過執著了。我自己有時候也會這樣，太執著於非把手上的哪些書看完不可。一旦產生這種執念，我就很容易把心門關得緊緊的，忘記從書堆中抬起頭來看見其他人事物的存在。凡事過猶不及，太沉溺於某件事情中，可能都是一種失衡與偏廢啊。

　　其他動物看小狼讀不少書，覺得他懂很多，所以遇到問題時就會想來求助於他，可是牠一概不理會，老是說自己忙著讀書，沒有空幫忙。小狼把對生命意義的追求過度專注在學問的充實上，這時的牠尚未領悟到：讀書的價值在於利己利他，讀書除了豐富自己的內在，若能進一步把書中的知識拿來幫助別人，不是更美妙嗎？學識豐富卻只獨善其身，真的太可惜了！這個故事讓我深深覺得，人不能把自己活成一座孤島，必須與他人有所連結、建立正向溫暖的情感關係，這才是生命能夠得著幸福的關鍵。

小狼心態上的轉變，發生於要去為國王治病的旅途中。牠發現自己欠缺許多求生能力，雖然讀很多書，路上卻還是遭遇到不少牠無法解決的問題。牠意識到自己的不足，其他動物雖然沒有讀很多書，可是當牠們發現小狼有需要時，都主動伸出援手協助牠。小狼經歷一段這樣的親身體驗後，方才知曉，每個人都各有長處，大家必須依賴彼此的長處，互相幫忙，建立一個互助的群體。這個想法上的轉變，讓牠開始與身邊的朋友有所連結。朋友來造訪牠，牠都願意給出時間。細心閱讀插畫的讀者應該會發現，故事最後，小狼家門前的告示牌從原先的 do not disturb（請勿打擾）更換為 WELCOME（歡迎），從中可知牠從一開始的拒人於千里之外，到最後願意開放自己，和他人有更多情感的交流，這是多麼可貴的心路歷程的轉變啊。

　　不過，小狼並未因花時間與朋友相處，就少讀一點書。相反地，牠因為跟外在有了真實的連結，從與朋友相處的諸多經驗中，得到書本無法給牠的生活智慧，且能透過書裡和書外世界的相互印證、激盪，讓書中知識鮮活起來，知識得以落實於生活疑難雜症的解決與為人處世的應用上，就不再是脫離現實的死知識了。

　　愛看書很好，傾心投入在某個自己熱愛的專業領域，也很幸福，但可別忘了還是要打開自己的心，與外在人事物進行連結、碰撞，或許能從中產生一些絕妙靈感；或是本來困在某個問題中，一直無法突破，就在與人對話、互動的過程中，讓你有機會跳脫原本僵化的思考框架，激盪出好的想法來克服難題也說不定呢！

　　有人可能覺得花時間與別人交流，就會少了許多時間在專業領域的鑽研上。其實事事環環相扣，只要我們不自我設限，心願意向外敞開，我們遇到的人事物，都有可能對自己的專業產生難以預料的刺激、啟發與影響，新的創造力於焉誕生。

Adrian Simcox Does Not Have a Horse

作　　者	Marcy Campbell
繪　　者	Corinna Luyken
出 版 公 司	Dial Books
中文版書名	《艾瑞養了一匹馬，才怪！》（小天下 出版）

25

我們永遠可以選擇與「善良」同一陣線

Adrian Simcox Does Not Have a Horse

故事介紹

Adrian 時常獨處、做白日夢，他對同學說他養了一匹馬，有些同學相信他，但 Chloe 知道 Adrian 在說謊，因為她很清楚，Adrian 根本就沒有馬。

Chloe 跟同學 Jamie 聊到這件事，Jamie 說，Adrian 和祖母同住，他家非常小，幾乎不可能有庭院可以養馬。Chloe 回家也告訴媽媽，她確定 Adrian 沒有馬。媽媽問她是怎麼知道的？ Chloe 說她就是知道，因為 Adrian 吃學校的免費午餐，鞋子還有破洞，她聽說養馬花費很高，他絕對養不起馬。

Chloe 對 Adrian 感到越來越不耐煩，她不懂為何他明明沒有馬，卻老是告訴別人他有馬，還老愛告訴大家他的馬有多漂亮。Chloe 終於忍不住，當著大家的面，大叫：「Adrian 說謊，他根本沒有馬！」此

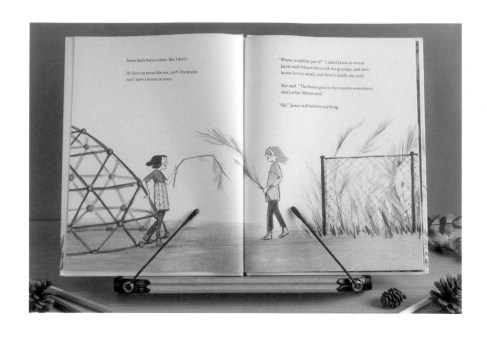

話一出，Chloe 看見 Adrian 面露悲傷神情。

　　當晚 Chloe 告訴媽媽 Adrian 又再次説謊炫耀他有一匹駿馬，母親聽完，要 Chloe 跟她一起去遛狗。走著走著，媽媽帶 Chloe 來到 Adrian 的住屋前，這是 Chloe 見過最小的房子了！Adrian 看見 Chloe，主動和她説話。Chloe 看了看 Adrian 家的後院，根本沒有養馬的空間，更加確定他不可能有馬。Chloe 想對 Adrian 説：「你根本沒有馬。」可是這些話卻卡在喉嚨，説不出來，因為她想起自己在學校當著大家的面，戳破 Adrian 的謊言時，Adrian 臉上浮現的悲傷。

　　Adrian 丟球給 Chloe，她接住了，並把球丟回給他。她看見他的笑容，感覺很酷，她對他的想法開始出現微妙的轉變，她覺得 Adrian 是學校裡最有想像力的學生，同時也覺得，他擁有世界上最漂亮的一匹馬。

貞慧說說話

讀完故事不禁問：Adrian 的謊言傷害到誰？ Chloe 自認正確，是否就有理戳破 Adrian 的謊言、傷害想像力豐富的他？生活中常有人說些無傷大雅的謊言，然後有人幽默地戳破他的謊，就是所謂的「吐槽」，之後大家一笑置之。在大人世界裡，我們也許承受得住被人「吐槽」，然而社會底層弱勢的孩子，被當面戳破無傷他人的謊言，其脆弱心靈所受的傷害可想而知。

這個故事探討「善良」的價值，很多時候選擇「善良」比選擇「正確」更為重要、更體貼人心。Chloe 知道 Adrian 說謊，因為她清楚 Adrian 家境貧困，怎麼可能養得起一匹馬？她堅持自己的判斷絕對正確，所以在面對 Adrian 一次又一次說謊時，感到憤恨不平、難以接受。

幸好 Chloe 有個溫暖、明理的母親，她沒有在得知 Chloe 對 Adrian 滿是負面觀感與評價後，直接對 Chloe 說教，告訴 Chloe 這不是做人的道理；而是帶 Chloe 去 Adrian 的家，讓 Chloe 自己去傾聽、感受、了解，從而建立同理心。

Chloe 看到 Adrian 家那麼小，沒有養馬的地方，證實自己先前的想法沒有錯，但親眼看見 Adrian 住在那麼破敗的小屋子，沒有錢養寵物，只能運用自己的想像力，想像自己有一匹金色鬃毛的白馬時，她的憐憫心油然而生，反思：「真的有需要那麼堅持自己是正確的嗎？ Adrian 說的謊真有那麼罪不可赦嗎？」這時 Chloe 開始能站在同理的立場，看待 Adrian 說謊的行為。最後，她反而欣賞、讚嘆 Adrian 豐富的想像力，能將一匹不存在的馬描繪得那樣活靈活現、栩栩如生。

Chloe 可以從堅持「正確」，到選擇「善良」、「同理」，這實在是非常難能可貴的轉變啊。

很多時候我們選擇正確，堅持是非對錯，卻沒有帶著仁慈去思考有些人在做某些事的背後，可能有著無法道破的原因或苦衷。每個人都有各自的難處，或有著無法從外表解讀到的辛酸故事，我們不該妄下批判，自以為是地堅持自己的正確性。我們認為正確的，可能只是在我們有限的經驗或認知範圍裡所以為的正確，但是我們以為的正確，真的就是對的嗎？

我們為了堅持正確，而逞一時口舌之快去批評他人，或許能夠帶給我們極其短暫的暢快感，但有為我們自身帶來長久的幸福嗎？而帶給他人的心靈傷害又如何彌補呢？我們有沒有可能讓自己的心稍微柔軟一點，選擇與「善良」同一陣線，試著理解對方言行的背後反映的是什麼樣的成長環境和心理因素呢？

身而為人的價值，不外乎以良善為出發點，好好對待萍水相逢的朋友和朝夕相處的親人。我們離世後能夠留在這世上的，惟刻印在他人心底的溫暖記憶而已。

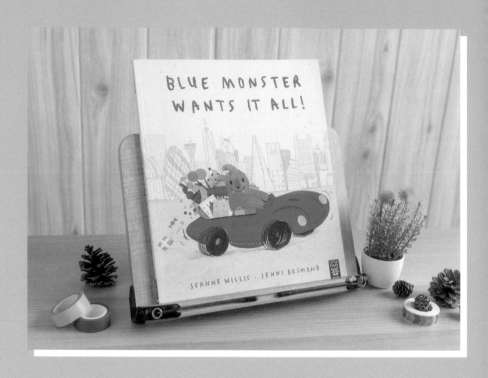

Blue Monster Wants It All

作　　者｜Jeanne Willis
繪　　者｜Jenni Desmond
出版公司｜Little Tiger Press Ltd.

26

追逐物質享樂，
無法帶來內心真正的平安與快樂

Blue Monster Wants It All

故事介紹

　　故事裡的藍色小怪獸從嬰兒時期開始便有著喜新厭舊的傾向，爸媽買給他的新東西，一開始總能抓住他的目光，可是新鮮感一下子就過去了，沒消多久他又吵著要新東西。連新生的妹妹，他疼愛幾天後，便嫌她舊、不好玩了！甚至後來也嫌父母舊，決定拋棄家人，拿著奶奶給他的錢，去過全新的生活。

　　一開始買一頂帽子就可以讓藍色小怪獸手舞足蹈一整個早上，後來他的物質欲望越來越大，要的不再是小東西，而是跑車、宮殿和飛機，甚至還買下一座度假海島，並將他購買的多種新動物運到這座島上。更誇張的是，他連唯一的太陽也嫌老舊，竟從天上奪下太陽並一口吃下，

結果天地頓時一片漆黑，變得好冷好冷，藍色小怪獸既害怕又孤單，好希望有人可以抱抱他。

　　最後，他終於了解，不管消費再多的東西、追求再多的物質享樂，都無法帶來真正的滿足。有些東西是金錢買不到的，像是家人和朋友。有了這層體悟後，他趕緊修好飛機，一路飛回家，給爸媽和妹妹一個溫暖的大擁抱，那種實實在在的幸福感是任何物質享樂都無法給予的。

貞慧說說話

　　我們處在一個被廣告淹沒的環境，眼睛所及，皆是商品廣告，這些廣告不僅出現在我們的真實生活裡，也充斥在網路世界中。我們不斷被迫接收成千上萬則廣告訊息，為的就是要刺激我們的消費欲望，誘發我們的消費行為。廠商持續推出吸睛廣告、舉辦周年慶或其他促銷活動，並透過各種行銷手法，誘使大家再三消費。加上所謂的「手指經濟」，手指一按購物網站的購買鍵，讓購物變得再容易不過，造成許多網購行為都是未經謹慎思考的結果。我們每天不停地消費，卻沒有考量到，這些東西真的是我們需要的嗎？如果我們不需要這些東西，只是因為便宜或漂亮而買下，這樣的消費是理性的嗎？

　　滿足購物欲望可能會帶來快樂，但那種快樂是非常短暫的，就像故事裡的藍色小怪獸，每每買了新東西，雖然會快樂一下下，但那快樂的感覺稍縱即逝，迫使他必須買下更新奇、更酷炫的東西以再度獲得片刻的快樂。人心對物質亨樂的追求，彷若無底洞，永遠不會有滿足的一天，而且這種花錢買來的快樂不是真快樂，無法為心靈帶來平安與豐盛。世上很多寶貴的東西，是金錢買不到的，例如親子情感的建立與深化便是一例。父母花錢買禮物給孩子、滿足孩子的物質欲望，孩子拿到新東西時可能很開心，覺得他要什麼，爸媽都會買給他。然而父母若沒有花時間真心陪伴孩子，孩子與父母的關係就不會親密，孩子心裡很多的想法、感受，父母也無從理解，這樣的親子連結是薄弱且容易斷裂的。

　　非理性消費也會導致家中環境的紊亂。我們買下許多不必要的物品，使得家裡處處堆滿雜物，連走道、餐桌和床上都是，而我們每天長

時間處在雜物囤積、能量無法順暢流動的空間裡，生活品質自然會受到影響。來到知命之年的我，開始嚮往「減法生活」，希望生活越過越簡單。我發現對物質的斷捨離，讓我不致經常受到身邊雜七雜八的物品所干擾，環境清爽了，心也跟著舒爽、開朗起來。

　　以愛護地球的角度來看，我們只買我們所需，不過度消費地球，減少對地球資源的剝削，讓地球得以永續發展，這也是我們對地球該盡的一份守護責任，不是嗎？

延伸閱讀

Le royaume de RIEN DU TOUT

作　　者：Ronald Wohlman
繪　　者：Dylan Hewitt
出版公司：Dial Books
中文版書名：《什麼都沒有王國》（字畝文化 出版）

故事裡的王國組成人員非常簡單：一個王后、一個國王、一個公主和一個王子。這個王國裡什麼物質享樂都沒有，但他們一家四口卻過得很開心、很滿足，因為他們擁有彼此，也懂得欣賞、領受大自然的美好。

Old Hat

作　　者：Emily Gravett
繪　　者：Emily Gravett
出版公司：Simon & Schuster Books

故事主角 Harbet 有一頂奶奶在他小時候為他編織的毛帽，他很喜歡這頂帽子，可是其他人都嘲笑他戴了一頂舊帽子。他看其他人頭上都戴著時下最流行的潮帽，也跟著購買。但他後來發現自己永遠跟不上流行的腳步，因為商人總是以極快的速度不斷推出最新款的潮帽。於是他決定回來做自己，自己就能引領風潮，何必跟風？

作者創造這則可愛有趣的故事，帶領讀者反思：對時尚的崇拜、對新商品的追求，是否真能帶來內心的滿足與快樂？

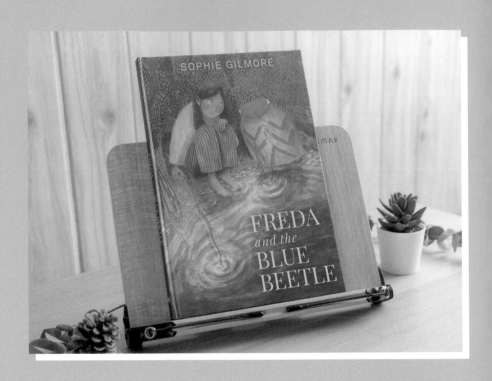

Freda and the Blue Beetle

作　　者 | Sophie Gilmore
繪　　者 | Sophie Gilmore
出版公司 | Owlkids

傾聽己心

Freda and the Blue Beetle

故事介紹

　　芙蕾達是個有想法的女孩，不會完全聽從他人給她的警告或規勸。村裡的人總是告誡她：「到水裡游泳很危險！」、「爬太高會被雲捲走！」芙蕾達不會因為聽到這些勸誡，就不敢繼續在大自然中探索。她發現不要太在意他人的看法，傾聽己心，時常能引領她看見美好。

　　有一天，她遇見一隻翅膀受了傷的藍色甲蟲，她幫甲蟲取名為「恩尼斯特」。她和甲蟲形影不離，且在她的細心照料下，甲蟲恢復健康，身形也越長越大。

　　村民見身形變大的甲蟲孔武有力，便開始要牠幫忙伐樹、蓋穀倉、牧羊並在田裡做粗活。然而，甲蟲的食慾越來越大，不管芙蕾達尋覓再多食物，都不夠牠吃，村民對甲蟲的抱怨聲四起。

　　一天，村裡有隻母羊不見了，村民認定是甲蟲吃掉的，他們要芙蕾達做出選擇，看是她要離開村莊，還是她要把甲蟲送走。女孩這次不得不聽從村民的話，把甲蟲帶往森林，傷心地與甲蟲告別。

　　後來，村民找到丟失的母羊，證明他們錯怪了甲蟲。又過了一段時間，一場可怕的暴風雨襲擊村莊，村民躲到大禮堂避難。危急之際，藍色甲蟲及時出現，解救了受困的村民。再次與甲蟲相見的芙蕾達，爬上甲蟲的背，在牠耳邊輕聲地說：「有時候我們應該只傾聽自己的心。」村民回想起甲蟲之前在村裡的時候，幫他們幹了不少活，於是懇求芙蕾達叫甲蟲再次留下來幫忙。這次芙蕾達不再在乎村民們都說了些什麼，她只想依隨己心，與藍色甲蟲一同離開村莊，開啟新的人生。

貞慧說說話

　　我們是否也常過於在乎別人的說法，而忘了時時回來傾聽自己的心想告訴我們什麼呢？村裡的人老愛告誡芙蕾達不要去哪裡、不要做什麼，這顯示村民對未知感到恐懼不安，不僅限制自身去探索未知，也自以為好意地想要限制他人走入未知。還好芙蕾達並沒有對他人的建議照單全收，她懂得傾聽自己的心，因而有機會遇見別人無法發現的美好，包括這隻獨特的藍色甲蟲。

　　不過，芙蕾達如你如我，也會有被外界言論動搖內心的時候。當甲蟲越長越大，村裡的人產生不安全感，不知留牠是福是禍？會不會為村莊帶來麻煩？芙蕾達也被村民強迫一定要二選一，看是要選擇村民，還是藍色甲蟲？這時候的她動搖了，放棄傾聽己心，選擇接受村民的建議，讓甲蟲離開。

　　是後來的一場暴風雨，甲蟲前來相救，讓芙蕾達能夠再次思考什麼才是她心裡最珍惜的？這一連串事件的經歷與體悟，讓她的心更加堅定，不再理會村民的七嘴八舌，毅然決然與甲蟲離開村莊，朝追尋美好生活的方向前行。

　　我們都像故事裡的芙蕾達一樣，總是不斷在生命歷程裡經驗、學習，總是要遭遇許多事情的檢驗、鍛鍊後，方知人生最可貴、最該好好把握的是什麼。沒有人是可以從一開始就不走錯路的，只要我們能從經歷的事情中持續成長、朝真正愛自己的方向去做改變，如此，我們走過的一切就不會白費。就怕我們思考僵化、明明知道走老套路的結果會如何，就是寧可讓自己陷在其中受苦，也不願意鼓起勇氣改變啊。

如果什麼事都要聽取別人的意見，恐怕怎麼聽也聽不完，別人可能出自好意，但各有不同的看法和建議。以教養孩子為例，大家看你是新手父母，覺得他們比較有經驗，就想要把經驗傳承給你，告訴你怎麼養小孩。每個人的說法都不一樣，如果你全部都要聽的話，真的會無所適從，也會忙死自己。其實，每個人的教養風格都不一樣，你不是那樣的個性，卻硬要實行那樣的教養方式，有時候也為難自己。育兒智慧都是從做中學，別人的建議可以聽，但無須全盤採納，自己可以從中判斷，哪些適合你和你的小孩？養兒育女是學問、是藝術，沒有標準做法。

　　當我們在人生的轉折點做抉擇的時候，會有家人、親友給予建議，這固然很好，能幫助我們更多面向地來思考事情，可是最後還是要傾聽己心，想想自己喜歡、重視的是什麼？不要老活在別人的建議與看法下，如果凡事都太在乎別人的說法，怎麼有辦法好好回來做自己、愛自己呢？生命是自己的，此生可貴，請不要把自己的人生交給別人做主，該是為自己的生命負起全責的時候了！願你我在有限的光陰裡，依隨內心良善的衝動與直覺，愛自己所愛，不留遺憾。

📖 **Leaping Lemmings!**

作　　者	John Briggs
繪　　者	Nicola Slater
出 版 公 司	Sterling Children's Books
中文版書名	《小旅鼠向前衝！》（三民書局 出版）

28

不盲從，培養思辨力，也勇於做自己

Leaping Lemmings!

故事介紹

生長在極地的旅鼠，是群居動物，他們外型相似，發出的叫聲一樣，並集體一致行動。只有一隻旅鼠不盲從，當其他旅鼠都挖地洞取暖時，牠和其他極地動物在雪地上玩樂；當其他旅鼠發出同樣的叫聲，牠則敲打著鼓；當其他旅鼠吃著岩石下的青苔，牠則為自己訂購了義式辣香腸披薩；當其他旅鼠群聚時，牠總是特立獨行，還幫自己取了名字叫Larry。其他旅鼠都覺得牠很不合群，為此召開旅鼠大會，討論所有的旅鼠是否應該都一樣，大家皆表示同意，只有 Larry 不贊同。

Larry 自己也知道牠無法融入旅鼠群，決定搬去和海豹住，後來又跑去與海鸚生活。牠前往造訪北極熊時，還差點被當成食物吃了！

And the lemmings didn't stop following Larry until every last one was safe at home enjoying a hero's feast of pepperoni pizza with extra cheese and hot sauce.

Larry 返回旅鼠群，見其他旅鼠全都跟著最前頭的旅鼠往懸崖方向奔跑，眼看大家就要跳下懸崖，Larry 趕緊飛快跑到所有旅鼠前面，在大家跳下懸崖前，及時帶領大家轉彎，拯救了整群旅鼠。

　　漸漸地，其他旅鼠開始有自己的想法，不會一味跟風、盲從。原本集體行動的旅鼠們，開始出現多元化的個別發展。

我們所處的真實和網路虛擬世界，是否也像故事裡的旅鼠群一樣，呈現盲目跟風、人云亦云的狀況？

　　我們的真實生活充斥著各式各樣令人目不暇給的資訊，而網路虛擬世界更是處在一整個資訊大爆炸的狀態。這些資訊有的真實正確、有的錯誤造假，來源可能出自內容農場，目的是騙取點閱率；甚至有的訊息是惡意抹黑、霸凌他人；有的訊息則是犯罪詐騙內容。面對這些訊息，我們是否能辨別真偽和其目的？還是會被某些網紅或網路意見領袖的言論牽著鼻子走？他們說什麼都相信，沒有做任何進一步的求證、判斷？若是如此，我們是否無形中成為許多假消息的傳播幫兇？

　　故事裡的 Larry 有主見、不會盲目跟從，在牠身上我們看到了「擁有清晰、獨立的判別力」之重要性。在我們接收到訊息時，必須思考訊息內容是否符合常理、邏輯，再比較不同社群媒體呈現同一則訊息的方式是否存在著落差，從中判斷訊息的可信度。不過，現今有太多杜撰的假訊息乍看之下極為真實，經常連頗具公信力的媒體，也會誤判訊息的真實性，一般民眾更是容易被假消息給蒙騙。倘若我們自己無法證實訊息的真偽，我們寧可內容看過就算，不要輕意轉發分享，以免誤觸散播網路不實謠言的法律官司。

　　這個故事除了讓我聯想到上面所提及的「對訊息的盲目跟從」這個面向外，也讓我思考：我們這一生是要選擇從眾，還是跟隨己心、勇敢做自己？從眾，似乎是打安全牌，別人怎麼做就跟著做，無須多費力氣、多花腦筋，也不用擔心被投以異樣眼光；做自己很難，要有被討

厭、被當作異類排擠在外的勇氣。然而不假思索地照著多數人前進的方向跟著走，看似安穩，不必承擔自己冒險闖蕩的風險，然而內心真的快樂嗎？真心喜歡這樣的生活嗎？會不會在夜深人靜時，感受到一股突如其來的空虛，忍不住懷疑：「這真的是我要的人生嗎？」

要走上和多數人完完全全不一樣的道路，真的不容易，要有很強的心臟、很堅定的信念，也得耐得住旁人的議論紛紛、說三道四。但也許我們可以選擇在眾人安排的既定軌道裡，偶爾來個小出軌、小小的不從眾、小小的不聽話、小小的背離，只要在不傷人不傷己的前提下，跟隨內在衝動，享受一下做自己的快樂又何妨呢？

年輕的時候，覺得人生很長，沒有時間的迫切感，而今來到五十歲的我，不知道這一生還會有多少歲月可以讓我握在手中？因深感時間寶貴，我已沒有浪擲光陰的本錢，真的不願再隨波逐流、不願再交出生命的主控權。是時候做自己，是時候不從眾，是時候依隨內我的呼喚，走上那條人煙稀少的道路了！

Giraffe Problems

作　　　者	Jory John
繪　　　者	Lane Smith
出 版 公 司	Random House
中文版書名	《好煩好煩的長頸鹿》（水滴文化 出版）

29

肯定自我價值，珍惜上天賦予你的

Giraffe Problems

故事介紹

　　看到長頸鹿愛德華，誰都無法不去注視牠細長的脖子，無論到哪裡，牠都是眾所矚目的焦點。牠不能怪別人老愛盯著牠的脖子看，牠也很無奈，天生脖子就長這樣。愛德華想盡辦法掩飾長脖子，例如：在脖子綁上無數條領帶、蝴蝶結和領巾，或是把自己藏在壕溝中、大樹後方和水裡。牠羨慕斑馬、大象及獅子的脖子，覺得牠們的脖子好看極了。

　　媽媽安慰愛德華，牠應該以自己的長脖子為傲，其他動物可能還很希望擁有像牠這樣的脖子呢！然而媽媽的這些話沒有安慰到愛德華，牠還是好想要把自己藏起來，等到天黑再出來。這時牠遇見一隻名叫賽勒斯的烏龜，賽勒斯對愛德華說，牠一直很羨慕長頸鹿有長脖子，短脖子帶給牠很多的不方便。愛德華很驚訝，原來真的有動物羨慕牠的長脖

子。賽勒斯說牠好想品嚐香蕉的滋味，可是香蕉樹長得太高了，牠一直
無法如願。愛德華聽了，抬起頭從香蕉樹咬下一串香蕉送給賽勒斯，賽
勒斯津津有味地吃著，露出幸福的微笑。愛德華和賽勒斯變成好朋友，
相互鼓勵，正向看待自己天生的模樣，心態豁然開朗。

貞慧說說話

　　我很喜歡這本繪本的整體設計，由於故事主角是長頸鹿，整本書從頭到尾無處不見長頸鹿身上醒目、獨特的條紋和斑點，連繪本前後蝴蝶頁亦然。

　　作者透過長頸鹿的脖子，比喻我們經常會把自己身上與眾不同的地方，看成是一種缺陷，感到害羞、排斥，竭盡心力地想要隱藏，越低調越好，越不被注意到越好。就像長頸鹿想盡各種方法，就是為了要掩飾自己的長脖子。長頸鹿後來遇到烏龜是故事很重要的一個轉折，短脖子的烏龜，流露出對長頸鹿的羨慕，長頸鹿因為脖子長，還因此幫了烏龜一個大忙。「自我肯定」是生命必修的學分，不要急著否定自己與他人不相同的地方，我們或許可以從自身某一獨特之處，發展出能力，並透過這個獨有的特色去幫助別人。

　　深受各界尊敬的藝人孫越，因為長相平凡，又有特大的鼻子，生前一直扮演丑角，但他善用大鼻子特色，創造出「孫小毛」，深受大小朋友喜愛。他帶著「孫小毛」人偶到處參與、推動公益活動，對社會貢獻良多，他的大愛精神也永留在人們心中。

　　這個長頸鹿故事也讓我聯想到時下盛行的醫學美容，醫學美容的流行似乎反映了許多人對自己容貌外型沒有自信。進行醫學美容的出發點若是為了追求健康，的確有其需要；然而若是為了達到一般凡俗對美的認定標準，而去隆鼻、削骨、抽脂等，真的就值得再思考一下是否有其必要性。我想，天然的還是最好，如實地接納自己原有的樣貌，即便外在不是那麼漂亮，但相由心生，我們該重視的是自身內在的涵養，從內而外散發出的優雅氣質會比表面上的美貌更耐看、更迷人。

這個故事也呈現出，若沒有從與他人的互動中，看見自己的優勢與亮點，要做到自我肯定真的不容易。成天對自己精神喊話：「我很棒！我愛我自己！我肯定我自己！」這樣的自我催眠真的能夠達到肯定自我價值的功效嗎？恐怕是很困難的。如果沒有透過與人交流的過程中展現

出自己的能力，幫助到別人，是很難僅藉由空洞的自我喊話來建立自信的。就像故事裡的長頸鹿愛德華原本對自己的脖子不滿意，後來因牠的脖子夠長，輕鬆幫烏龜咬下高掛樹上的香蕉，從中肯定了自己擁有長脖子的優勢，這是在與人互動之下才會知道自己有哪些能力，可以透過哪些長處來幫助別人，從中獲得肯定自我的真實力量。

很多人可能還處於尋找自我價值的過程，對自己到底擁有什麼樣的能力、能夠如何助人、可以留下什麼貢獻，感到困惑迷茫。因此，當我們有機會看見別人的優點和獨特之處，不要吝惜給出讚美，把我們所看到的、感受到的告訴對方，例如：你的手好巧，可以把蝴蝶結綁得這麼漂亮；你的音感很好，可以辨別樂曲的差異。把這些欣賞、讚美真誠地說出來，讓對方知道，讓他從中看見自己的亮點，獲得自我肯定的機會。這對一個缺乏自信的人來說，會是莫大的鼓勵，甚至因此改變他接下來的人生。

延伸閱讀

Ma Grande
作　　者：Sibylle Delacroix
繪　　者：Sibylle Delacroix
出版公司：MIJADE
中文版書名：《我喜歡這樣的我》（奧林 出版）

《Giraffe Problems》以有著長脖子的長頸鹿為故事主角，而這本繪本的主角則是長得非常非常非常高的女孩愛麗絲，雖然以她的高度可以看得很遠、看到別人看不到的風景，但她的高度讓她感覺自己與其他人好有距離、格格不入，有種不被了解的孤單。是奶奶給她的溫暖，讓她看見自身價值，不再懷疑獨一無二的自己。

Mabel and the Mountain

作　　者	Kim Hillyard
繪　　者	Kim Hillyard
出 版 公 司	Ladybird Books
中文版書名	《小梅布爾有個大計畫》（采實文化 出版）

當你熱情走在實踐夢想的路上，
也將激勵他人勇敢追夢

Mabel and the Mountain

故事介紹

　　有隻叫梅布爾的小蒼蠅，牠有幾個偉大的計畫：爬高山登頂、舉辦晚餐派對，還有和鯊魚做朋友。其他的蒼蠅都不看好牠，不斷潑牠冷水，說牠的計畫不可能實現，然而梅布爾心意堅定，決定從登高山攻頂開始，逐一實踐夢想。牠深信：當心中有大計畫時，就該採取行動，並相信自己做得到。

　　牠揹著裝備往山頂邁進，幾個小時後，牠卡在半山腰不上不下，開始覺得這計畫很困難，途中牠遇到的登山者，有的速度快，有的很強壯，還有的嘴巴很壞、嘲笑牠。梅布爾一度想要放棄，牠覺得登山攻頂太艱辛，改成爬樹也可以。此時，梅布爾心中浮現一個微弱的聲音告訴牠繼續前進。當繼續攻頂的過程中卡關時，牠會想快樂的事，還為自己

　　做了一首加油打氣的主題曲。突然，牠聽到有人喊牠的名字，原來是牠的蒼蠅夥伴們前來為牠打氣，最後梅布爾終於成功登上山頂。

　　回到家後，梅布爾開晚餐派對慶祝，完成了第二個計畫。其他蒼蠅夥伴也開始想著自己的大計畫。有的要寫書，有的要造機器人，有的要組樂團。接下來，梅布爾要開始施行牠的第三個大計畫，這次牠能夠成功與鯊魚做朋友嗎？

貞慧說說話

　　當我們築夢時，不需要太在意旁人的想法，因為總會遇到有人對我們說：「這行不通，別做白日夢。」之類的話。不管他人的起心動念是為我們好，還是潑我們冷水，或在其有限的認知上，覺得這一切不可行，都不要一味地把他人的說法奉為圭臬。我們應該傾聽自己的心聲，有夢想就去追尋吧！給自己設定具體明確的短、中、長期目標，並拿出堅持不輟的行動力，邊走邊修正，不管最後是否能夠順利解鎖一項人生新成就，在這個過程中我們一定都會有一些不同以往的領悟與成長的。

　　這個充滿正能量的故事，最觸動我心的地方是，小蒼蠅梅布爾在實踐自己夢想的過程，也激勵了其他夥伴，讓牠們感受到夢想的實現並非遙不可及，牠們也可以有夢想，也能循著夢想的路徑踏實前進。

　　之前在我還沒有將繪本大量融入於自己的英語教學時，我的教學方式很傳統，就是照著課本、習作的編排來進行教學，一年一年教下來，自己都覺得無趣了。然而當我七、八年前開始把繪本融入教學中，我感覺到自己的教學有了新活水挹注。由於在教學中加入了自己喜愛的繪本元素，上起課來更帶勁、滿腔熱情。師生之間是相互影響、彼此感染的，我在教學上展現出的活力，學生感受到了，上課時也回報以認真專注的眼神，師生互動也變得更為熱絡，可以感受到孩子們是喜歡這門課的。之後我也把我的繪本教學心得，分享給更多教育夥伴。我發現，當我熱情走在實踐夢想的路上，也同時激勵更多人勇敢投入改變之中。

　　一開始會有老師感到疑惑，國中的孩子讀繪本不會太幼稚嗎？其實這是對繪本的誤解。繪本的題材多元豐富，有很多適合國中孩子閱讀的

繪本的。我透過自己的教學實踐，到台灣各地學校和民間單位推廣青少年閱讀英文繪本，慢慢地帶動更多老師願意嘗試繪本教學。後來陸續收到不少老師給我的反饋是：因為認識貞慧老師，開始在教學裡融入繪本，感覺到自己的教學變得不一樣了，而且日見成效，孩子們的反應也都很好。收到老師們的這些正向回饋總是讓我開心，覺得自己正在做自己喜歡也對他人有貢獻的事。實踐夢想可貴的地方就在於，我們在乎的不是自己的功成名就，而是希望夢想最終的實踐是利己利他的，不只讓自己活出此生存在的意義，也帶動他人一起走向更美好的人生道路，這才是夢想實踐的價值。

如果你的夢想內涵是良善的、是利益他人的，就別再裹足不前了，依隨內心的熱情前進吧！身旁的人看見熱血的你正為夢想而努力著，也會大受感動，開始啟動自身內在潛藏的熱情，活出更璀璨美麗的人生的。一起加油！

延伸閱讀

Ned and the Great Garden Hamster Race
作　　者：Kim Hillyard
繪　　者：Kim Hillyard
出版公司：Ladybird Books

這本繪本是《Mabel and the Mountain》的作者 Kim Hillyard 2021 年最新作品，是一個關於釋出善意、彼此相互幫助扶持的暖心故事，一併分享給大家。

英文繪本讀書會

傷心困頓時，還好繪本接住了我

寫給為人生焦慮困惑的你，撫慰心靈的30堂繪本課

2022年1月初版　　　　　　　　　　　　　　定價：新臺幣380元
有著作權·翻印必究
Printed in Taiwan.

著　　者	李　貞　慧
叢書編輯	賴　祖　兒
校　　對	申　文　怡
內文插畫	蔡　怡　柔
內文排版	陳　澄　竹
封面設計	Ivi Design

圖片攝影 Catus studio 暗咪貓攝影工作室

出　版　者	聯經出版事業股份有限公司	副總編輯	陳　逸　華
地　　址	新北市汐止區大同路一段369號1樓	總編輯	涂　豐　恩
叢書主編電話	(02)86925588轉5395	總經理	陳　芝　宇
台北聯經書房	台北市新生南路三段94號	社　長	羅　國　俊
電　　話	(02)23620308	發行人	林　載　爵
台中分公司	台中市北區崇德路一段198號		
暨門市電話	(04)22312023		
台中電子信箱	e-mail：linking2@ms42.hinet.net		
郵政劃撥帳戶第	0100559-3號		
郵撥電話	(02)23620308		
印　刷　者	文聯彩色製版印刷有限公司		
總　經　銷	聯合發行股份有限公司		
發　行　所	新北市新店區寶橋路235巷6弄6號2樓		
電　　話	(02)29178022		

行政院新聞局出版事業登記證局版臺業字第0130號

本書如有缺頁，破損，倒裝請寄回台北聯經書房更換。　　ISBN　978-957-08-6135-8 (平裝)
聯經網址：www.linkingbooks.com.tw
電子信箱：linking@udngroup.com

國家圖書館出版品預行編目資料

傷心困頓時，還好繪本接住了我：寫給為人生焦慮困惑
的你，撫慰心靈的30堂繪本課/李貞慧著 . 初版 . 新北市 . 聯經 .
2022年1月 . 200面 . 15.5×22公分（英文繪本讀書會）
ISBN　978-957-08-6135-8（平裝）

1.推薦書目　2.繪本　3.閱讀治療

012.4   110019776